DICCIONARIO TERMINOLÓGICO DE CIENCIAS FORENSES

Víctor Manuel Nando Lefort
Licenciado en Derecho por la Universidad Lasalle.
Diplomado en criminalística por el Instituto Nacional de Ciencias Penales, Procuraduría General de la República. Vicepresidente de la Sociedad Mexicana de Medicina Forense, Criminología y Criminalística. Miembro fundador y tesorero del Colegio de Ciencias Forenses. Miembro de la Sociedad Mexicana de Criminología. Catedrático de la Facultad de Derecho, Universidad Nacional Autónoma de México. Abogado litigante e investigador

Ángel Gutiérrez Chávez
Médico cirujano por la Facultad de Medicina, Universidad Nacional Autónoma de México (UNAM). Criminalista por el Instituto Nacional de Ciencias Penales, Procuraduría General de la República. Ex presidente y consejero de la Sociedad Mexicana de Medicina Forense, Criminología y Criminalística. Miembro fundador y presidente del Colegio de Ciencias Forenses. Catedrático de la Facultad de Derecho, UNAM.
Miembro correspondiente de la Asociación de Médicos Forenses de la República de Argentina y de la American Academy of Forensic Sciense (en trámite). Jefe del Servicio Médico Forense del Estado de México

DICCIONARIO TERMINOLÓGICO DE CIENCIAS FORENSES

Víctor Manuel Nando Lefort
Ángel Gutiérrez Chávez

Editorial TRILLAS
México, Argentina, España
Colombia, Puerto Rico, Venezuela

Catalogación en la fuente

> Nando Lefort, Víctor Manuel
>   Diccionario terminológico de ciencias forenses. --
> México : Trillas, 1998.
>   127 p. ; 23 cm.
>   ISBN 968-24-3418-1
>
>   1. Medicina legal - Enciclopedias y diccionarios.
> I. Gutiérrez Chávez, Ángel. II. t.
>
>   D- 614.103'N328d   LC- RA1017'N3.3

La presentación y disposición en conjunto de
DICCIONARIO TERMINOLÓGICO DE CIENCIAS FORENSES
son propiedad del editor. Ninguna parte de esta obra
puede ser reproducida o trasmitida, mediante ningún sistema
o método, electrónico o mecánico (incluyendo el fotocopiado,
la grabación o cualquier sistema de recuperación y almacenamiento
de información), sin consentimiento por escrito del editor.

Derechos reservados
© 1998, Editorial Trillas, S. A. de C. V.,
Av. Río Churubusco 385, Col. Pedro María Anaya,
C.P. 03340, México, D. F.
Tel. 6884233, FAX 6041364

División Comercial, Calz. de la Viga 1132, C.P. 09439
México, D. F., Tel. 6330995, FAX 6330870

Miembro de la Cámara Nacional de la
Industria Editorial. Reg. núm. 158

Primera edición, enero 1998
   ISBN 968-24-3418-1

Impreso en México
Printed in Mexico

Esta obra se terminó de imprimir
el 30 de enero de 1998,
en los talleres de CES Impresores y/o Enrique Díaz.
Se encuadernó en Terminados Gráficos Hidalgo.
MAC ET BM2 100 RW

Prólogo

Las ciencias forenses son un conjunto de disciplinas que utilizan todos sus métodos, conocimientos y técnicas para colaborar directamente y de manera científica en la administración de justicia. Su aplicación en el mundo actual es cada vez más frecuente e indispensable, ya que el combate a la delincuencia y al crimen organizado requiere elementos de prueba altamente sofisticados. Estos elementos los analizan el agente del Ministerio Público, la defensa, el juez e incluso, en no pocas ocasiones, los medios de comunicación y, consecuentemente, la población en general.

Sin embargo, la terminología forense es compleja y debido a ello, en muchas ocasiones, se utiliza mal, originando que los dictámenes tengan una interpretación incorrecta. Esto lleva a que los investigadores que requieran apoyarse en las ciencias forenses siempre necesitarán la consulta de uno o más libros especializados, ya que en una investigación criminal se necesita normalmente la participación de más de dos peritos; es decir, dos científicos forenses con sus respectivos dictámenes y terminología.

Por lo expuesto, consideramos necesario que exista un diccionario terminológico que contenga los principales y más frecuentes vocablos forenses; que puedan utilizar el abogado, el agente del Ministerio Público, el juez, el periodista, el estudiante de derecho o de medicina, incluso el mismo perito o el policía de cualquier corporación que intervenga en una investigación penal. Además, en este solo libro aparecen los principales términos de medicina forense y sus diferentes especialidades, como criminalística, grafoscopia, dactiloscopia, antropología y odontología forense; en fin, aquellas áreas que dan a la procuración e impartición de justicia todos los elementos para que éstas se apliquen de manera científica y acorde con la época. Asimismo, la presente obra tiene un fácil manejo y resume varios libros especializados en uno solo, pues se encuentran concentrados 1607 términos que permitirán al investigador y al estudioso de estas disciplinas adentrarse más rápida y profundamente en el gran mundo de la policía científica.

Los autores

abdomen. Parte del cuerpo comprendida entre el tórax y la pelvis. La cavidad abdominal está separada de la torácica por el diafragma y tapizada por una membrana serosa, denominada *peritoneo*.

aborto. Del latín *ab*, privativa, y *ortus*, nacimiento. Pérdida del producto de la concepción antes de que sea viable.

-accidental. El que ocurre de modo fortuito o espontáneo.

-ampollar. Variedad de aborto tubárico, el cual ocurre en la ampolla del oviducto.

-artificial. Véase A. PROVOCADO.

-contagioso. Se presenta mediante de una infección en las vacas, yeguas u ovejas. // Inflamación de la mucosa uterina y de las membranas fetales.

-criminal. Expulsión del feto, provocada de manera clandestina.

-diferido. Aquel en el que entre la muerte del feto y la expulsión hay un espacio de tiempo.

-embrionario. Aquel que ocurre antes del quinto mes de embarazo.

-epizoótico. Véase A. CONTAGIOSO.

-espontáneo. Aquel que ocurre naturalmente.

-fetal. El que se produce después del quinto mes del embarazo.

-habitual. El que se repite en embarazos sucesivos.

-incompleto. El que va seguido de retención de la placenta.

-inevitable. Aquel cuyo curso no puede detenerse.

-infeccioso. Véase A. CONTAGIOSO.

-inminente. Amenaza de aborto.

-ovular. El que ocurre en la primera o segunda semana del embarazo.

-provocado. Aquel que se practica con fines criminales o terapéuticos.

-tubárico. Caída del huevo en desarrollo de la cavidad abdominal, por lo regular a través de la ruptura de una tuba uterina grávida.

abreviaturas. Representación de las palabras en la escritura, con una o varias letras.

absorción. Paso de un xenobiótico a la sangre o a los fluidos transportadores.

abundancia de mayúsculas. Uso indebido de mayúsculas durante la realización de escritos, las cuales pueden ubicarse en el inicio o intermedio del documento. // Rasgo característico que puede influir para que el perito determine cuándo se tiene un documento cuestionado y un probable responsable, si éste es el redactor del escrito.

abuso. Uso indebido, excesivo o injusto.

-de autoridad. Acto de cualquier funcionario público que se excede en sus facultades.

-de confianza. Mal uso que se hace de la confianza depositada en una persona.

-de droga. Empleo de una sustancia considerada droga en forma incompatible con la práctica médica habitual, sin una prescripción médica o destinándola a fines no terapéuticos.

-sexual. Imposición por fuerza física o moral sobre el consentimiento sexual de una persona.

acentuación. Tilde, en dirección de derecha a izquierda, que se coloca sobre la vocal de la sílaba en que se carga la pronunciación.

acceso carnal. Del latín *accesus*, entrada, paso. Introducción completa o incompleta del miembro viril en la vía vaginal, anal o bucal de la víctima. En algunos códigos penales del mundo se le denomina como cópula. En España la cópula se considera como una agresión sexual.

ácidos. Todo compuesto que tiene hidrógeno, sustituible por los metales, para formar sales. // Todo compuesto de un elemento electronegativo con uno o más átomos de hidrógeno remplazables por átomos electropositivos.

acidosis. Del latín *acidus*, ácido. Aumento de la acidez o disminución de la reserva alcalina de la sangre.

-compensada. Estado por el cual el bicarbonato de la sangre se encuentra en menor cantidad, pero el pH se mantiene dentro de los límites normales.

acústica. Área de la física encargada de estudiar los sonidos.

-forense. La que se realiza en el laboratorio, en algunos países europeos y en Estados Unidos, donde se estudian e investigan las voces y ruidos relacionados con alguna controversia presentada ante el órgano jurisdiccional, la cual sirve de base para esclarecer la verdad.

adipocira. Del latín *adipis*, grasa, y *cira*, cera. Proceso transformativo del cadáver en una sustancia jabonosa que da la impresión de queso color amarillo oscuro, que resulta de factores como: edad, obesidad, degeneraciones viscerales tóxicas producidas por el alcohol o el fósforo. Para que esto ocurra es indispensable que el cadáver permanezca en medios húmedos o con agua en abundancia. // *Saponificación*.

ADN. Véase DNA.

agente. Del latín *agens* y *agere*, hacer. Todo lo que obra.

-constrictor. En criminalística, instrumento que al cerrarse impide el paso de oxígeno a los pulmones y la circulación de la sangre. Por lo regular, se coloca en el cuello a la altura de la laringe y el hueso hioides, comprimiendo en el exterior las yugulares, las arterias carótidas y, en ocasiones, las vertebrales, dependiendo de la ubicación del nudo. Los agentes constrictores más comúnmente utilizados son: lazos de ixtle, cuerdas de cortina, prendas de vestir, sábanas, cadenas, vendas o medias, etc. En la realización de este mecanismo se observa que uno de los extremos está atado a un punto de apoyo, y el otro al cuello de la víctima.

-vulnerante. Todo elemento, instrumento o sustancia cuya acción externa causa alteraciones, lesiones o la pérdida de la vida. Se clasifica a los agentes vulnerantes en: mecánicos, físicos, químicos y biológicos.

agonía. Del latín *agonia*, y éste del griego *agón*, lucha, combate. Dolor grave o sufrimiento extremo. // Estado que precede a la muerte en las enfermedades en que la vida se extingue gradualmente.

agonología. Disciplina encargada de estudiar las diferentes formas y manifestaciones del estado preagónico, agónico y del acaecimiento o cesación de la vida.

agresión. Ataque u hostilidad ejercida sobre un individuo.

ahumamiento. Zona ennegrecida de humo que se deposita en el orificio de entrada de un proyectil de arma de fuego. Es producido por el humo que, además de las partículas de pólvora y la llama, salen del cañón junto con el proyectil. Dicho humo sólo ensucia superficialmente la piel y puede desaparecer con la manipulación del cadáver. La presencia de ropas interpuestas puede ocasionar que no se presente la zona de ahumamiento en la piel.

álcalis. Nombre genérico de los compuestos que forman sales con los ácidos y devuelven el color azul al tornasol enrojecido por los ácidos.

alcalosis. Del árabe *álcali*, *álquali*; sosa o ceniza de plantas alcalinas. Excesiva alcalinidad de los líquidos del organismo. // Aumento de la reserva alcalina de la sangre por ingreso excesivo de alcalinos o por la insuficiente eliminación de éstos.

-gaseosa. Déficit no compensado de anhídrido carbónico, por respiración forzada o hiperventilación.

alcoholemia. Presencia de alcohol en la sangre.

algolagnia. Placer con el dolor. Véase SADISMO O MASOQUISMO.

algor mortis. Véase ENFRIAMIENTO CADAVÉRICO.

alineamiento básico. En la disciplina de documentos cuestionados, se considera a la línea imaginaria que se forma o que se traza como base desde el inicio hasta el final del renglón para orientar la escritura.

altura de mayúsculas. Normalmente la letra mayúscula es de dos y medio a tres y medio veces más grande que una letra minúscula. El perito debe fijarse en las variantes de tamaño que tienen las letras mayúsculas comparándolas con las minúsculas.

alumbramiento. Expulsión de la placenta y membranas después del parto.

amaurosis. Del griego *amauron*, oscurecer. Ceguera.

ambliopía. Del griego *ambli*, obtuso y *ops*, ojo. Oscurecimiento de la visión por sensibilidad imperfecta de la retina, sin lesión orgánica del ojo.

amenorrea. Del griego *a*, privativo, *mon*, mes y *rhein*, fluir. Falta de menstruación.

anfibolia. Periodo incierto de una fiebre o enfermedad, de pronóstico dudoso.

amnios (amniótico). Del griego *amnión*, membrana que envuelve al feto. La más interna de las membranas fetales, que forma el saco que contiene el líquido amniótico y una vaina para el cordón umbilical.

amputación. Pérdida o carencia de un miembro. Suele referirse a los dedos de la mano.

anafilaxia. Estado de hipersensibilidad o de reacción excesiva a la introducción de una sustancia extraña que, al ser administrada por primera vez, produce cierta reacción.

anatopatólogo. Médico especialista en anatomía patológica.

anatomía patológica. Disciplina encargada del estudio de las alteraciones que los agentes productores de enfermedad causan en los tejidos del ser humano.

anestesia. Del latín *an*, privativo, y del griego *aisthesis*, sensación. Privación total o parcial de la sensibilidad en general, principalmente la táctil, por alteraciones morbosas o provocada de modo artificial.

-angiospástica. Pérdida de la sensibilidad, producida por un espasmo de los vasos sanguíneos.

-básica o de base. Estado de narcosis producido por una medicación preliminar a la anestesia general, con el propósito de disminuir la cantidad de anestésico inhalado.

-bulbar. La originada por una lesión del puente de Varolio.

-central. La originada por una enfermedad de los centros nerviosos.

-cerebral. La originada por una lesión cerebral.

-cerrada. Anestesia general producida por inhalación.

-de Bier. Anestesia local ocasionada por aplicar una inyección de una solución de novocaína en las venas de un miembro al que se ha hecho exangüe por la elevación y doble constricción elástica.

-disociada. Anestesia utilizada para el dolor y la temperatura, con persistencia de la sensibilidad táctil.

-**dolorosa.** Anestesia táctil, con dolor intenso después de la parálisis. // Estado que se presenta en ciertas enfermedades medulares.

-**eléctrica.** Se produce por el paso de una corriente eléctrica.

-**intravenosa.** Anestesia general por inyección endovenosa.

-**local.** La que se confina a una parte limitada de superficie, producida por la inyección de anestésicos locales, enfriamiento o refrigeración.

-**medular.** Anestesia espinal que se aplica en la columna vertebral.

-**mental.** Incapacidad para reconocer o identificar los estímulos sensoriales.

-**paraneural.** Anestesia regional por la inyección del anestésico a cierta distancia del tronco nervioso.

-**periférica.** La ocasionada por lesiones de los nervios periféricos.

-**por inhalación.** Anestesia general por aspiración de gases o vapores de diversas sustancias anestésicas.

-**primaria.** Anestesia transitoria que se experimenta en los primeros periodos de la producción de la anestesia general.

-**psíquica.** Pérdida de la afectividad, o insensibilidad para la alegría o dolor de lo que el paciente tiene conciencia.

-**rectal.** Anestesia general producida por la introducción del agente anestésico en el recto.

-**regional.** Anestesia de una parte o región, por interrupción de la conductividad nerviosa sensitiva, producida por inyecciones intraneurales o paraneurales que bloquean el campo operatorio.

-**táctil.** Pérdida o alteración del sentido del tacto.

-**térmica.** Pérdida de la sensibilidad al calor.

-**terminal.** La que afecta a las terminaciones nerviosas.

-**visceral.** Pérdida de la sensibilidad en las vísceras.

anfetamina. Amina simpatomimética estimulante del sistema nervioso central. Se presenta en forma de tabletas y de soluciones parenterales, y se utiliza para tratamientos de narcolepsia, obesidad exógena y estados depresivos.

anglicismo. Empleo de vocablos o giros ingleses en el idioma castellano.

anillo. Del latín *annellus*. Aro pequeño.

-**contusión.** Reborde de piel desnuda de epidermis que rodea al anillo de enjugamiento. Su formación se debe a la mayor retractibilidad de la epidermis en relación con la dermis. Estas lesiones son ocasionadas por proyectiles de armas de fuego y no se presentan después de la muerte.

-**enjugamiento.** Se origina por las suciedades del polvo o lubricante que arrastra el proyectil a su paso por la superficie interna (ánima) del cañón, de las cuales se limpia o enjuga en la piel. El anillo que rodea al orificio es de color negruzco. Se puede dar el caso de no presentarse el anillo de enjugamiento, debido a que al atravesar ropas se limpia antes de perforar la piel.

ante mortem. Locución latina que significa antes de la muerte.

antropofagia cadavérica. Destrucción del cadáver por la acción de animales. Las moscas depositan sus huevos alrededor de la nariz, la boca, el ano, etc. De ocho a 14 horas se desarrollan las larvas muy devoradoras, que en un lapso de nueve a 12 días se convierten en pupas y éstas en moscas adultas en otros 12 días. Las ratas, hormigas, cucarachas, perros y lobos suelen también devorar los cadáveres al descubierto. De igual forma, los peces mutilan y devoran cadáveres sumergidos, notándose predilección de los peces pequeños por el cartílago auricular, los párpados y los labios.

amputación. Carencia de alguno de los dedos de la mano o de la falangeta de éstos. En su clasificación se abrevia como AMP.

anquilosis. Anormalidad en los dedos de las manos. El padecimiento se presenta cuando los dedos se encuentran sin movimiento parcial o total en las articulaciones. En su clasificación se abrevia como ANQ.

antropometría. Disciplina que pretende identificar a personas vivas o muertas por medio de la medición y reseña de las partes necesarias de un cuerpo, como brazos, piernas, tronco y cabeza, entre otras.

antropología. Del griego *antrôpos*, hombre, y *logos*, tratado. Ciencia que trata del hombre.

-física forense. Reconstrucción de la cara de cráneos antiguos y recientes, de acuerdo con su tipología. Por lo regular, en estos casos se recomienda realizar diferentes formas de peinado y corte de pelo, así como con bigote y barba.

apergaminamiento. Lesiones de aspecto de pergamino brillante, amarillentas y sin reacción inflamatoria circundante. Se producen por la fricción de un agente traumático, que ha desprendido el estrato córneo que protege la piel de la desecación. Su consecuencia conlleva a coagular la linfa en la superficie. // Se considera una lesión agónica o posmortem, debido a la falta de halo inflamatorio, lo cual podría deberse a lo superficial del trauma.

ápice. Extremo terminal de la raíz de un diente.

aplastamiento. Acción convergente de dos fuerzas sobre puntos antagónicos de la superficie de un segmento corporal. Morfológicamente, se caracteriza por un mínimo daño a la piel con severo traumatismo óseo y visceral interno en el caso de tronco. El mecanismo es la compresión, por el peso del agente contundente. La principal causa de muerte es la destrucción de centros u órganos vitales, o el choque traumático.

aplastamiento. Parte aplanada de las letras, debido a que sobre ella se ejerció mayor presión.

apoplejía. Abolición del funcionamiento cerebral. // Extravasación de sangre en un órgano.

archivo. Del latín *archium*, sitio donde se cuidan documentos antiguos.

-criminal. Compilación elaborada por los cuerpos encargados de la procuración de justicia, en la cual aparecen los datos principales de todo delincuente que ha sido fichado por dichas autoridades.

-dactiloscópico. Registro donde se encuentran las impresiones dactiloscópicas de infinidad de individuos. Se divide en dos clases de archivos: el decadactilar y el nominal. El decadactilar consiste en fichas dactiloscópicas ordenadas por medio de fórmulas especialmente diseñadas para su integración.

arco. Del latín *arcus*, figura o dibujo de porción curva.

-dactiloscópico. Dactilograma o uno de los tipos fundamentales, el cual carece de delta y núcleo, salvo en el caso del seudodelto (delta falso), que se encuentra formado por los sistemas basilar y marginal. Las crestas papilares del primer sistema se manifiestan al comienzo del pliegue de flexión de la falangeta, mientras el segundo se localiza en la parte superior del dibujo.

-normal. Está constituido generalmente por crestas papilares en forma transversal, las cuales se hallan ligeramente convexas en la parte superior. Se divide en dos sistemas crestales: el basilar y el marginal.

-odontológico. Curva de la dentición de un maxilar.

-piniforme. Se presenta en ángulo bien definido, pudiendo ser alto o bajo, cuya forma se asemeja a la de un pino.

-seudodelto. Hay similitud con las presillas externa e interna por la presencia de un delta falso, cuya localización se puede presentar a la derecha o izquierda de la impresión dactilar. Esta unidad existe en las crestas del sistema marginal y carece de directriz marginal.

arma. Instrumento destinado para atacar o defenderse.

-blanca. Todo instrumento configurado por una hoja o cuerpo de metal, con punta, filo o bordes romos y con un mango o empuñadura de éste o de otro material. Estas armas se clasifican en: punzantes, cortantes, contundentes, punzocortantes, punzocontundentes y cortocontundentes.

-de fuego. Instrumentos con formas y dimensiones diversas, con el propósito de lanzar violentamente distintas clases de proyectiles, aprovechando la fuerza originada por la deflagración de los gases desprendidos por la pólvora. Se clasifican en armas de fuego cortas y armas de fuego largas, de ánima lisa o rayada, de proyectil único o de proyectiles múltiples y de antecarga o retrocarga.

-de fuego corta. Aquella que, por el tamaño de su estructura y largo del cañón, es fácil de ocultar y manipular, como la pistola automática, el revólver y la pistola ametralladora.

-de fuego de ánima lisa. La característica de esta clase de armas es que en la parte interna de su cañón no hay surcos que dejen huella alguna en los proyectiles expulsados por ésta, como es el caso de la escopeta.

-de fuego de ánima rayada. El distintivo de este tipo de armas son los surcos, denominados estrías, y las eminencias helicoidales, conocidos como campos o mesetas que tienen dibujadas dentro del cañón. La dirección de las estrías puede ser a la derecha o a la izquierda. Armas de esta clase son los fusiles, pistolas, metralletas y revólveres.

-de fuego larga. Se reputa a esta arma por la estructura, el diámetro de su cañón y su peso, y ocasiona mayor dificultad de maniobra y de ocultamiento, como la escopeta de caza, el fusil, la metralleta y la carabina.

ARN. Véase RNA.

arrancamiento. Violenta tracción de la piel y tejidos subyacentes en determinadas regiones del cuerpo, causada por determinadas máquinas. Sus bordes se caracterizan por ser deshilachados, de aspecto acintado de los tendones, astillado de los huesos y sección a diferentes alturas de los músculos. El mecanismo en estas lesiones es triple: compresión, presión y tracción.

arrastre. Desplazamiento del cuerpo sobre el suelo, al quedar adherido a un vehículo en movimiento, lo que ocasiona escoriaciones equimóticas lineales, que se asientan en el cuerpo, principalmente en la espalda, en la región lumbar, en los genitales y en ambas caderas.

arrollamiento. Traumatismo resultante de la acción giratoria sobre el eje longitudinal del cuerpo, producido por un vehículo como consecuencia de un choque o atropellamiento.

arrollamientos. Rasgos de una letra que la envuelven en forma de rollo.

asa. Figura que al doblarse adopta la forma de una horquilla; las líneas o ramas se alargan paralelas, con aspecto diagonal al dactilograma. Eventualmente, alguna de las ramas o ambas se bifurcan o se seccionan de manera brusca o presentan ojales.

asfixia. Del griego *a*, sin y *sphiza*, pulso. Muerte producida por la obstrucción de las vías por donde circula el aire. Se presenta en casos criminales de ahorcamiento o estrangulación, o por infecciones en la mucosa de la laringe o cara posterior de la faringe, difteria, tumores en la tráquea, entre otras.

aspecto redondeado de las curvas. Modo de presentarse a la vista las figuras circulares que hay en los rasgos que forman determinadas letras.

atavismo. Del latín *atavus*, abuelo, antepasado. Herencia de caracteres de los antepasados remotos. // Reaparición en un descendiente de una característica cualquiera de un ascendiente, la cual había quedado latente en una o varias generaciones.

atropello. Violencia contusiva ocasionada por el impacto de la masa en movimiento de un vehículo. Su intensidad depende de la velocidad del vehículo.

autohomicidio. Véase SUICIDIO.

autopsia. Del griego *autos*, a sí mismo y *opsis*, observar. Estudio del cadáver, que el examinador hace con su vista. En la práctica forense se le conoce como sinónimo de *necropsia* y de *tanatopsia*.

autopsia oral. Técnica quirúrgica que efectúa el estomatólogo forense con el propósito de facilitar el estudio bucodental en determinada clase de cadáveres que requieren ser identificados.

autor de un hecho. Sujeto que dolosa o culposamente, con acción u omisión, actúa afectando la integridad física, la vida, o propiedades de otro, con o sin el uso de algún agente vulnerante.

aviso. Comunicación médico-legal realizada ante las autoridades sanitarias, sobre el conocimiento de una enfermedad infectocontagiosa, que existe aún con el carácter de probabilidad.

avulsión. Véase ARRANCAMIENTO.

bala. Véase Proyectil.

balista. Del griego *ballein*, arrojar. Máquina de guerra, antigua, especie de ballesta grande que servía para arrojar saetas, balas, etcétera.

balística. Arte de calcular el alcance y dirección de los proyectiles.

-de efectos. Estudia los daños producidos y ocasionados por los proyectiles sobre el objeto u objetos punto de impacto, sea al azar o dirigido.

-exterior. Estudia los fenómenos ocurridos a los proyectiles desde la salida por la boca del cañón, hasta su llegada al punto de impacto.

-forense. Área de la criminalística encargada de investigar mediante la aplicación de conocimientos, métodos y técnicas; en sus ramas interior, exterior y de efectos, los fenómenos, formas y mecanismos producidos en hechos originados con armas de fuego cortas o largas, portátiles.

-interior. Estudia los fenómenos que ocurren en las armas, desde el momento en que la aguja percutora golpea el fulminante del cartucho, hasta la salida del proyectil por la boca del cañón. // De igual forma, se ocupa de la estructura, mecanismo y funcionamiento de las armas de fuego.

barbarismo. Falta en el lenguaje, que consiste en alterar los vocablos o emplearlos impropiamente.

barbitúrico. Droga depresora no selectiva del sistema nervioso central, cuyos efectos pueden ir de la sedación hasta la anestesia general o incluso el coma y posteriormente la muerte por parálisis del centro respiratorio. Mantiene semejanza con los anestésicos generales, pero se distingue de éstos en su grado de intensidad. Los barbitúricos son de origen sintético y, por su duración, se dividen en: de acción prolongada, intermedia y ultracorta. Los efectos pueden ser de sedación, hipnosis o depresión central (paro respiratorio).

Benassi, signo de. Véase SIGNOS.

bertillonaje. Aplicación de la antropometría a la identificación y clasificación de personas, particularmente de los criminales.

bestialismo. Cópula con animales. Se presenta con frecuencia en zonas rurales, especialmente en la adolescencia, y denota una personalidad esquizoide, psicótica o con deficiencia mental.

bifurcación. Cresta papilar que a través de su recorrido se divide en dos ramas, formando un ángulo agudo.

Billard, signo de. Véase SIGNOS.

biología. Ciencia natural que se encarga de estudiar las leyes de la vida, coadyuva con la criminalística empleando la antropología, la citología, la enzimología, la hematología forense, la medicina forense, la microbiología, la psicología, la serología, la histología, etcétera.

blast injury. Representa el conjunto de lesiones contusas de cualquier índole producidas por las ondas resultantes de la explosión de proyectiles de gran poder, detonados en el aire, en el agua o en la tierra. Por lo general, las explosiones en ambientes cerrados resultan de consecuencias mucho más graves. Hay una clasificación de las consecuencias producidas por el *blast injury*, que pueden ser de carácter neurológico, torácico, abdominal, ocular, auditivo y psiquiátrico.

Bonnet, signos de. Véase SIGNOS.

bonzismo. Producción de la muerte mediante la acción del fuego; la finalidad no es exclusivamente suicida, sino también fanática, como protesta religiosa, política, racial e incluso por celotipia.

borde incisal. Porción cortante producida por un diente anterior.

Bouchut, signo de. Véase SIGNOS.

Brouardel, signo de. Véase SIGNOS.

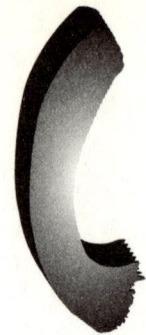

cadáver. Del latín *cadaver*. Carne dada a los gusanos. // Cuerpo, generalmente el humano, después de la muerte.

cadaverina. Líquido espeso de olor fétido, formado durante la descomposición pútrida del cuerpo orgánico.

cadena de custodia. Denota que todo indicio deberá llevar un ordenamiento adecuado que preserve en forma categórica su integridad y fidelidad.

caída. Desplome de un individuo, que ocurre cuando se produce en el mismo plano de sustentación; en la caída actúan la altura y la celeridad. Las lesiones que se presentan son hundimiento de la bóveda del cráneo, con hemorragias cerebrales y meníngeas, fracturas de extremidades y contusiones simples. La muerte puede ser inmediata en lesiones craneoencefálicas, o tardía por complicaciones.

calcado de Bonnet, signo de. Véase SIGNOS.

calcinación. Sujeción a muy elevada temperatura de una sustancia infusible, para privarla de sus componentes volatilizables por el calor.

calibre. Corresponde al diámetro del cañón, medido entre los dos campos opuestos tanto para pistolas como para rifles. En Europa, el calibre es medido en milímetros, mientras que en Estados Unidos por el número de perdigones que integran una unidad de peso.

caligrafía. Por medio de este método se analiza la belleza o elegancia de la escritura (comprende la elaboración y belleza).

cápsula fulminante. Se le conoce de igual forma como estopín, en el interior del cual se encuentra el explosivo que ocasiona la proyección. Su activación es por percusión.

características estructurales de la escritura. Apariencia y diseño arquitectónico que tiene un individuo al ejecutar su grafía. // Son inherentes a un individuo y lo identifican y diferencian de los demás escrituralmente.

características generales de la escritura. Aquellas peculiaridades gráficas que definen la escritura de un individuo en un contexto global. Se clasifican en: inicio, final, enlace, inclinación, dirección, alineamiento básico, proporción dimensional, habilidad, etcétera.

características morfológicas de la escritura. Formas de las letras. // Aspectos que cada individuo da a las letras.

carbonización. Conversión de una materia orgánica en carbón.

cardenal. Véase EQUIMOSIS.

carga de proyección. Elemento (pólvora) que por medio de la percusión originará la explosión.

Carrara, signo de. Véase SIGNOS.

cártel. De la voz alemana *kartel*, cuyo significado corresponde a carta-contrato. Con ésta se designa a una organización de empresarios de una rama de la producción, con el fin de dominar el mercado ejerciendo un monopolio. // En la actualidad se ha retomado esta palabra para señalar a los grupos de organizaciones delictivas, entre las que se encuentran los traficantes de drogas, de armas, lavadores de dinero, etcétera.

cartucho. Carga de un arma de fuego encerrada en un cilindro de cartón o de metal. // Pieza completa con la que se cargan las armas de fuego. // Se reserva el término cartucho a los proyectiles múltiples, y el nombre de casquillo a los proyectiles únicos o balas.

-de percusión central. Aquellos cuyo fulminante se ubica en el centro del culote de la vaina.

-de percusión periférica. Aquellos cuya sustancia fulminante se encuentra en la periferia del culote.

casquete. Conocida también como vainilla; cubierta metálica que contiene y aloja los demás elementos del cartucho.

casquillo. Anillo o abrazadera de metal.

-balística. Parte metálica del cartucho, que corresponde al cuerpo de éste.

-de odontología. Casquete de metal que cubre o circunda la corona o raíz de un diente.

centro. Del latín *centrum*. Punto situado a igual distancia de todos los puntos de una línea curva o una superficie esférica.

-bifurcado. Para el área de documentoscopia, punto central que se sitúa en el extremo superior de la cresta bifurcada más alejada al delta.

-birrecto. Se forma por dos crestas rectas separadas dentro de la horquilla o gasa. En ocasiones, las dos o alguna de ellas se encuentran fundidas o sin fundir. Su punto central se ubica en el extremo superior de la cresta más alejada del delta, si las dos crestas se hallan sin fundir; pero si alguna se encuentra fundida, se sitúa en el extremo superior de la cresta que queda sin unir.

-**en círculo.** Cresta interior de forma circular, cuyo punto central se ubica en el punto más alejado al delta.

-**en fragmento.** Cresta de tamaño pequeño; oblicua o vertical, que se ubica en el interior de la horquilla, gasa o asa. Su punto central o corazón se halla en el punto más alejado al delta.

-**en gasa.** Cresta cuya forma es parecida a la de una gota invertida. Su punto central se ubica en el punto más alejado al delta.

-**en horquilla.** Centro representado por una horqueta; y corresponde a una diminuta asa adherida a una recta. Su punto central se sitúa en el extremo superior cuando la figura está de cabeza; pero si el asa está orientada hacia arriba, se ubica en el extremo superior de la cresta más alejada al delta.

-**en horquillas entrelazadas.** Corresponde a aquellas horquillas que se presentan dentro del núcleo. Su punto central se sitúa en el lugar más alejado al delta de la primera horquilla.

-**en horquillas gemelas.** Horquillas que se manifiestan dentro del núcleo. La localidad central se ubica en el punto más alejado al delta de la primera horquilla.

-**en ojal.** Cresta recta que en su centro presenta un círculo, con dos extremos, uno orientado hacia arriba y el otro hacia abajo. Su punto central se ubica en el extremo superior de la cresta, de manera fundida o sin fundir.

-**recto.** Se le conoce como eje negro, ubicado dentro de las ramas de las presillas u horquillas más interiores; se puede encontrar unido o no. El punto central se sitúa en el centro del vértice de la cresta sin fundir, o en la fusión de la cresta con la gasa o asa.

-**trirrecto.** Se forma por tres líneas ubicadas en el interior de la horquilla o gasa. El punto del corazón en el trirrecto se ubica en el extremo superior de la cresta central. Se conoce la existencia de tetrarrectos y pentarrectos; en el primero, el punto del corazón se sitúa en el extremo superior de la cresta central más alejada al delta; en el segundo se ubica en el extremo superior de la cresta central.

certificado. Procede de certificar, dar por cierto algún hecho comprobado, de algo que uno conoció y que, por tanto, se puede certificar que existe o que así es. Se pueden expedir certificados provisionales o definitivos. Todo certificado debe contener: introducción o preámbulo, descripción de los hallazgos, clasificación, conclusiones, fecha y firma.

Chambert, signo de. Véase Signos.

chancro. Del francés *chancre* y éste del latín *cancer, -cri*. Antiguamente, pequeña úlcera con tendencia a extenderse y corroer las partes próximas. En la actualidad, nombre que se da a dos ulceraciones de naturaleza muy distinta: chancro duro sifilítico y chancro blando o chancroide venéreo, pero no sifilítico, y a otras ulceraciones que sirven de puerta de entrada a ciertas infecciones, como chancro leproso, linfogranulomatoso, etcétera.

-**blando.** Úlcera venérea, no sifilítica, debida al bacilo de Ducrey. Comienza por una pústula en los genitales poco tiempo después de la inoculación, crece rápidamente y se ulcera, con producción de pus virulento. La secreción es contagiosa y autoinoculable.

-**cefálico.** El que se asienta en cualquier parte de la cabeza del pene, generalmente sifilítico.

-**crónico.** Forma de chancro simple de la vulva, ordinariamente no contagioso.

-**duro.** Úlcera que constituye la lesión primaria de la sífilis; la base y los bordes son manifiestamente duros; produce una ligera secreción que inocula a otra persona y origina la sífilis.

-**esporotricótico.** Úlcera primitiva desarrollada en el punto de inoculación de la infección esporotricótica.

-**fungoide.** Chancro blando caracterizado por granulaciones fungoides.

-**infectante.** Chancro sifilítico.

-**mixto.** Chancro que al principio tiene las características de blando, pero que luego adquiere las de sifilítico, por estar infectado doblemente con el bacilo de Ducrey y la espiroqueta sifilítica.

-**redux.** Chancro que aparece espontáneamente después de su curación aparente.

-**serpiginoso.** Chancro blando fagedénico que tiende a extenderse en líneas sinuosas.

-**venéreo.** Chancro blando.

charlatanismo. Fraude y mentira erigidos en sistemas para explotar la credulidad pública en lo relativo a la conservación de la salud y curación de las enfermedades.

Christinson, signo de. Véase SIGNOS.

cianosis. Del griego *kuanos*, azul. Coloración azul, negrusca o lívida de la piel. Se entiende como aquella pigmentación que adquieren ciertas lesiones de la piel.

cicatriz. Del latín *cicatrix*. Tejido de reparación organizado (fibroso) y estable de una pérdida de sustancia.

-**filtrante.** La consecutiva a una operación de glaucoma, por la cual se filtra el humor acuoso.

-**hipertrófica.** Tumor duro, rígido, formado por la hipertrofia del tejido cicatrizal. // Queloide cicatrizal.

-**manométrica.** La de la membrana timpánica que se mueve siguiendo las variaciones de presión en la caja del tambor.

-**viciosa.** La que produce deformidad o altera el funcionalismo de una parte.

ciencias. Del latín *scientia*. Conocimiento exacto y razonado de determinadas cosas.

-**forenses.** Conjunto de disciplinas que coadyuvan de manera directa en la administración de justicia.

cíngulo. Convexidad bulbosa sobre el tercio cervical de la cara palatina de un diente anterior.

círculo. Figura dactiloscópica formada por crestas cuyos diámetros en los interiores y exteriores son semejantes. Su conjunto nuclear adquiere el aspecto de circunferencias, ordenadas del centro al exterior.

citodiagnóstico. Véase CITOLOGÍA.

citología. Del griego *kytos*, célula, y *logos*, tratado. Parte de la histología que trata de las células, de su estructura y de sus funciones. // *Citodiagnóstico.*

-exfoliativa. Estudio citológico de las células exfoliadas de un órgano en comunicación con el exterior o fácilmente accesible (vagina, bronquios y estómago).

clasificación médico-legal de las lesiones. Corresponde a la estimación de las consecuencias somáticas, funcionales y estéticas, de presentación inmediata o mediata, inferidas en una persona viva o en un cadáver. Lo anterior se realiza con carácter provisional o definitivo, de acuerdo con lo establecido en la legislación penal vigente.

cleptomanía. Del griego *kleptein*, robar, y de *manía*. Impulso morboso al robo; alienación caracterizada por el deseo de robar.

clítoris. Del griego *kleitorís*, de *kleíein*, cerrar. Órgano pequeño eréctil, alargado, situado en el ángulo anterior de la vulva, constituido por dos raíces que se unen en la línea media para formar el cuerpo, que termina por un ligero ensanchamiento del glande del clítoris. Órgano homólogo del pene o miembro viril.

cocaína. Sustancia estimulante del sistema nervioso central y anestésica de mucosas. Se obtiene de la hoja de la coca, *Erithroxylon coca*, planta muy común en Bolivia y en el norte argentino. Se presenta en forma de polvo blanco, ligeramente picante al gusto y con leve olor aromático. Produce excitación psicomotriz, por vía sistémica estimula la corteza cerebral y localmente causa anestesia de mucosas.

cociente. Del latín *quotiens, -entis*. Cifra resultante de una división.

-de inteligencia. Medida de la inteligencia obtenida al dividir la edad mental del sujeto, apreciada por la escala de Binet-Simon, entre la edad real.

coitofobia. Repugnancia hacia el acto sexual, con sentimiento de pena, culpa y ansiedad.

colicuación. Transformación líquida de las partes blandas del cadáver. Se presenta cuando éste ha sido inhumado en tierra y en un ataúd frágil.

conciencia. Del latín *conscientia*. Conocimiento interior de la existencia propia y de sus modificaciones.

-doble. Estado en el cual el paciente parece tener dos existencias o vidas, olvidando completamente en una las experiencias de la otra.

-noética. Conciencia en la cual las experiencias son ampliamente cognoscitivas.

cono truncado de Bonnet, signo de. Véase SIGNOS.

constancia. Documento expedido por un médico de forma particular o por prestar sus servicios en un centro de salud. Se emite en casos no legales de hechos que le constan al médico, una enfermedad o el estado de salud.

contusión. Traumatismo producido por cuerpos romos o sin filo. El mecanismo de acción de estos cuerpos es la percusión, la presión, la fricción o la tracción. Las contusiones se dividen en tres grandes grupos: simples (apergaminamiento, excoriación, equimosis, derrames y herida contusa), complejas (mordedura, aplastamiento, arrancamiento, caída y precipitación) y de otros tipos (por martillo, descuartizamiento, decapitación y traumatismos craneoencefálicos).

-por martillo. Lesiones producidas por un instrumento contundente sobre la piel y los huesos.

coprofagia. Deseo de comer heces.

coprofilia. Deseo sexual por las heces.

coprolalia. Compulsión a decir obscenidades.

cópula. Véase ACCESO CARNAL.

corificación. Transformación de la piel del cadáver en un tejido que se asemeja al cuero recién curtido. // Coagulación irreversible de la piel de cadáveres inhumados en cajas metálicas herméticamente cerradas.

cortada. Extremo o terminación de una cresta, sin importar su longitud, ya que, súbitamente, al seguir una trayectoria se corta para no continuar.

cortes. Divisiones, suspensiones o interrupciones que se observan entre los grammas que forman las letras o entre las letras que forman las palabras.

costumbre de dejar blancos. Hábito adquirido por la repetición de actos análogos que tienen algunos escritores de dejar huecos intermedios entre dos letras.

craneoscopia. Véase FRENOLOGÍA.

cresta. Del latín *crista*. Carnosidad que tienen sobre la cabeza algunas aves.

-dactiloscópica. Borde sobresaliente de la piel, formado por una sucesión de papilas que sigue la sinuosidad de los surcos en diferentes direcciones, formando una diversidad infinita de figuras en las yemas de los dedos (rectas, quebradas, verticales, forma de cruz o cuadrados). Es más amplia en su base que en la cúspide. Se le nombra como cresta papilar.

-intercalar. Línea fina intercalada en las crestas papilares, línea que no debe considerarse como cresta normal.

-odontológica. Elevación lineal sobre la superficie de un diente.

crimen. Del latín *crimen, inis*, cuyo significado es delito grave.

criminalística. De la palabra latina *crimen, inis*, que significa delito grave; *ista*, del griego *iot'ns*. Da origen a las palabras que indican actitud, ocupación, oficio, hábito; *ica*, del griego *ix'n*, forma femenina de los adjetivos acabados *ixos, ixn, ixou*, que llevan al sustantivo *réxun*: arte o ciencia, que significa lo perteneciente a la ciencia de. Lo que resulta de la conjunción grecolatina sería la ciencia que se ocupa del crimen resumiendo sus conocimientos por medio de las disciplinas científicas que buscan alcanzar un objetivo común, toda vez que es una ciencia natural multidisciplinaria. // Ciencia auxiliar del derecho que, mediante la aplicación de conocimientos, métodos y tecnología, estudian de manera científica los indicios y evidencias materiales de un hecho probablemente delictuoso y a los presuntos responsables, coadyuvando con los órganos de prevención, procuración e impartición de justicia. // Coadyuva en situaciones de carácter civil, mercantil, laboral, familiar, y en general en la mayoría de las áreas del derecho en las que se necesite la intervención de peritos en ciencias forenses. // Se basa en seis cuestionamientos fundamentales para su investigación: qué, cómo, dónde, cuándo, con qué, y quién. Se divide en criminalística de campo y criminalística de laboratorio.

-**de campo.** Disciplina de la criminalística que aplica los conocimientos, métodos y técnicas con el fin de proteger, observar y fijar el lugar de los hechos o del hallazgo, así como obtener, coleccionar y suministrar las evidencias materiales asociadas al hecho de las diferentes áreas de la criminalística.

-**de laboratorio.** Área encargada de aplicar los conocimientos, métodos y experimentos en los indicios recabados en un lugar de los hechos o del hallazgo; los cuales, después del análisis respectivo, podrán convertirse en prueba para el esclarecimiento de la verdad.

criminología. Ciencia interdisciplinaria que se encarga de estudiar los fenómenos y las conductas antisociales, de la etiología del delito y la prevención del crimen, coadyuvando principalmente con el derecho penal.

criptografía. Se realiza por medio de la cifración o desciframiento de signos o claves secretas encontrados en papel, piedras y telas, o en aquellos objetos que contengan alguna señal o clave.

cromatografía o cromatógrafo de gases. Cámara térmica semejante a un horno, en cuyo interior se encuentra un tubo de forma espiral o en U, denominado *columna*. Para las columnas capilares, dicha columna está cubierta por dentro con un líquido viscoso, al que se conoce como *fase estacionaria*, y en uno de sus extremos se encuentra un orificio de inyección, a través del cual se introduce una muestra de la mezcla problema, utilizando una jeringa especial. La muestra puede encontrarse en estado líquido o gaseoso. Después de inyectada la muestra, se empuja a lo largo de la columna por una corriente a presión de gas transportador, el cual recibe el nombre de *fase móvil*. A medida que la muestra se desplaza, se van presentando distintos grados de atracción hasta llegar a descomponer la mezcla en múltiples moléculas, las cuales salen de la columna y se separan para ser clasificadas en bandas de moléculas semejantes.

cromosoma. Del griego *chromo* color, y *sôma* cuerpo. Nombre de los pequeños cuerpos en forma de bastoncillos en asa en que se divide la cromatina del núcleo celular en la mitosis, cada uno de los cuales se divide longitudinalmente, dando origen a dos asas gemelas perfectamente iguales. Su número es constante para una especie determinada: en el hombre, 46; de ellos, 44 autosómicos y dos sexuales. Se cree que están constituidos por genes o factores dispuestos linealmente.

-bivalente. Dos cromosomas unidos temporalmente.

-en anillo. Delección de la porción final de los cromosomas, con reunión de las porciones distales nuevas para formar un anillo.

-sexual. Cromosoma determinante del sexo, del cual se conocen dos tipos: *X* y *Y*. La combinación *XX* es la propia del femenino y la *XY* del masculino.

cronotanatodiagnóstico. Diagnóstico del tiempo de muerte de una persona. Se deriva de los vocablos *cronos* (tiempo), *thánatos* (muerte) y *diagnosis* (conocer).

cualidad casual. Aquella que no puede ser explicada por la tecnología establecida para un producto o los mecanismos de producción derivados de las determinaciones funcionales de un objeto, sino por acontecimientos relacionados con el uso del objeto, únicos e irrepetibles (por ejemplo: desgaste, accionamiento, cambio en cualquier dirección, etcétera).

culpa. Conducta externada al realizar un hecho, en la que no se toman las medidas precautorias o se desconoce el deber establecido en una norma, con lo cual se comete un delito.

curanderismo. Ejercicio ilegal de la medicina, el cual consiste en que una persona con supuestos conocimientos técnicos o científicos ejerce la actividad de curar o aliviar un sinnúmero de padecimientos, sin contar con una autorización de título expedido por las autoridades educativas de conformidad con la ley de la materia.

curva ornamental. Línea que se aparta de la dirección recta sin formar ángulos y que se adorna para hacer letras.

cúspide o tubérculo. Elevación marcada sobre la superficie oclusal de un diente que termina en una superficie cónica, redondeada o plana.

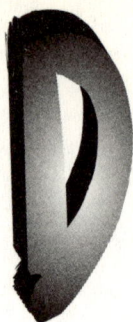

dactilografía. Estudio o tratado de las impresiones digitales.

dactilograma. Del griego *daktylos*, dedos, y *gramma*, marca, que quiere decir escritura realizada con los dedos. Los dactilogramas se dividen en naturales y artificiales; los primeros son los rasgos que se observan en los dedos, en las palmas de los pies (plantares) o en las manos (palmares), mientras los segundos corresponden a las huellas que se obtienen al imprimirlos sobre alguna superficie plana no porosa, como el cristal, plástico y en el papel, previo entintado de las yemas. Los dactilogramas artificiales toman el nombre genérico de impresiones papilares en virtud de que las rugosidades de la epidermis (papilas) las originan.

dactilología. Modo de expresión por medio de signos efectuados con los dedos.

dactiloscopia. Término utilizado por primera vez por el doctor Latzina, en vez del concepto de ignofalangometría, empleado a principios del presente siglo. Se deriva de los vocablos griegos *daktylos* (dedos) y *skopein* (examen o estudio). Disciplina encargada de estudiar y comparar las huellas dactilares que se producen con las yemas de los dedos de las manos o de las plantas de los pies (pelmatoscopia), y en ocasiones con el apoyo de la poroscopia, con el propósito de identificar a las personas vivas o muertas.

dactilospasmo. Espasmo o calambre en los dedos.

decapitación. Del latín *de*, partícula negativa, y *caput*, *capitis*, cabeza. Expresa la acción de seccionar o desprender la cabeza del resto del cuerpo. La decapitación puede ser accidental, suicida, homicida o por ajusticiamiento (sanción penal).

decúbito. Del latín *decubitus*, acostarse. Actitud del cuerpo en estado de reposo sobre un plano horizontal.

-dorsal o supino. En esta posición el cuerpo descansa en sus regiones posteriores sobre el plano de soporte, con la cara mirando hacia el cielo, aunque puede haber rotación de la extremidad cefálica a la derecha o izquierda, y los miembros superiores e inferiores estar orientados hacia un punto determinado.

-**lateral izquierdo o derecho.** El cuerpo descansa sobre sus regiones laterales izquierda o derecha según el caso, sobre el plano soporte, por lo regular la cara facial se encuentra también apoyada sobre el plano soporte, y las extremidades inferiores y superiores se pueden orientar hacia un punto determinado, ya sean extendidas o flexionadas.

-**ventral o prono.** El cuerpo descansa con sus regiones anteriores sobre el plano de soporte, con la mirada al piso, aunque puede haber rotación de la cavidad craneal a la derecha o la izquierda con apoyo en las mejillas de los lados, o en su caso habrá apoyo anterior con la región facial, e igualmente los miembros superiores e inferiores pueden estar orientados hacia un punto determinado.

deformación. Desfiguración, fealdad e imperfección que se hace voluntaria o involuntariamente al escribir.

degüello. Herida en la parte anterior del cuello que interesa los elementos vasculares situados a cada lado, y en ocasiones incluye también la tráquea. Puede ser suicida u homicida. En el degüello suicida, la herida se presenta en forma de curva y comienza en la cara anterolateral izquierda para los diestros o derecha para los zurdos. Se produce comúnmente con instrumentos cortantes o punzocortantes y puede haber heridas de vacilación en el punto de inicio. En el caso de degüello homicida, la herida suele ser más profunda y horizontal y se produce generalmente por instrumentos punzocortantes de hoja larga. Puede acompañarse de heridas de defensa.

delito. Toda conducta contraria a la justicia y a la utilidad social, realizada en oposición a las prescripciones señaladas por la ley penal y sujeta a una sanción corporal, pecuniaria, patrimonial o una variedad de éstas. También se le conoce como aquella conducta típica, antijurídica, culpable, sometida a una sanción penal, la cual llena las condiciones objetivas de punibilidad.

delta. Del griego *delta*. En el área de dactiloscopia se conoce como la figura de forma triangular, blanca y curvilínea, constituida por las crestas limitantes de tres sistemas que se miran por sus convexidades.

-**abierto punteado.** Al encontrarse uno o varios puntos negros, o fragmentos cortos en el centro del triángulo, sea abierto o cerrado, su punto déltico se situará en el centro del delta, ignorando los puntos mencionados.

-**abierto total.** El originado por las líneas limitantes basilar, marginal y nuclear, cuyo punto déltico se determina en el centro del triángulo.

-**cerrado externo.** Se encuentra constituido por una cresta papilar que se inicia en el extremo del dibujo y a través de su recorrido se divide en dos ramas, dando origen a un ángulo agudo, el cual se aproxima hasta la convexidad de la directriz del núcleo. Su punto déltico se aposenta donde la cresta papilar se dividió.

-**con crestas separadas.** Cuando en algunos de los ángulos de la figura déltica las crestas se encuentran separadas, sea en la parte superior, externa o interna, se tomará como directriz nuclear la cresta más continua y convexa a su ángulo que forma las limitantes basilar y marginal. Su punto déltico se encuentra en el centro del triángulo, sin considerar las crestas separadas.

-**con varias bifurcaciones.** Los constituidos por varias bifurcaciones consecutivas, que dan origen a ángulos agudos. Su punto déltico se aposenta en la bifurcación más próxima a la directriz del núcleo.

-**corto y largo.** Cuando las tres directrices confluyen y dan origen a un ángulo obtuso o recto, su punto déltico se debe poner en el vértice de las tres ramas, sin importar si el ángulo conformado se constituye por deltas largos o cortos.

-**negro irregular.** También llamado delta saliente, se encuentra en el límite del punto déltico, en virtud de las varias concurrencias, deformaciones e irregularidades de las crestas en el interior del recinto déltico. Este último se sitúa en la confluencia más próxima a la directriz nuclear, siempre y cuando el delta forme un ángulo obtuso o recto.

demencia. Del latín *dementia*. Estado de alienación caracterizado por la pérdida o disminución de la mente, de ordinario en correspondencia con lesiones anatómicas de naturaleza destructiva, focales o difusas. En medicina legal, todo estado mental que priva del libre albedrío.

-**aguda.** Confusión mental; forma que afecta a individuos relativamente jóvenes, curable a menudo.

-**catatónica.** Forma catatónica de la demencia precoz.

-**coreica.** Abolición gradual de la inteligencia, semejante a la demencia senil que se observa en la corea.

-**crónica.** Demencia incurable que puede ocurrir en cualquier periodo de la vida.

-**epiléptica.** La que resulta de la prolongada continuación de la epilepsia.

-**fantástica.** Demencia paranoide, modalidad de la esquizofrenia.

-**hebefrénica.** Demencia precoz.

-**mioclónica.** Trastornos mentales observados en el paramioclono múltiple.

-**paralítica.** Parálisis general de los alienados.

-**paranoide.** Formada por locura de los adolescentes, con delirio sistematizado, que se desarrolla rápidamente y termina por un estado mental confuso.

-precoz o juvenil. Estado mental de curso lento que aparece de ordinario en la juventud, pero también en la edad adulta, caracterizado por disociación y desorganización mental, desorientación, pérdida del contacto con la realidad y desdoblamiento de la personalidad, del que se distinguen cuatro formas: simple, hebefrénica, catatónica y paranoide.

-presbiofrénica. Demencia senil.

-primaria. Demencia que se presenta independientemente de cualquier otra forma de alienación.

-secundaria. La que sigue a otra forma de locura.

-senil. Debilitación gradual de las facultades intelectuales y morales, que sobrevienen con la edad.

-terminal o vesánica. Debilitación permanente progresiva de las facultades intelectuales y afectivas, consecutiva a la psicosis.

-tóxica. La debida al uso excesivo de un fármaco.

dentadura. Conjunto de piezas dentarias.

-artificial. Prótesis dentaria que consta de una serie de dientes naturales o artificiales montados en una pieza o en dos.

-completa removible. Conjunto de dientes artificiales que remplazan a todos los dientes naturales en un maxilar.

-parcial removible. Dientes artificiales que remplazan a uno o más dientes, pero no a todos, naturales de un maxilar.

dentición. Del latín *dentitio, -onis.* Acción y efecto de endentecer. Conjunto de fenómenos de formación, salida y crecimiento de los dientes.

-primaria. Erupción de los dientes de leche. Son en número de 20 y aparecen a partir del quinto mes de la vida hasta el tercer año.

-secundaria. Erupción de los dientes segundos o permanentes, en número de 28, que remplazan a los anteriores. Algunos individuos admiten una tercera dentición, conocidas estas piezas como las *muelas del juicio.*

denuncia. Comunicación médicolegal a las autoridades competentes en el caso de tener conocimiento, durante el ejercicio profesional, de un hecho probablemente delictivo, como un aborto criminal, una muerte violenta, etc., con el propósito de no ser inculpado de encubrimiento u otro problema legal.

deontología. Del griego *deon, déontos,* deber, y *logos,* tratado. Tratado de los deberes y ética profesional.

dependencia. Habituación al uso prolongado de estupefacientes.

-a la droga. Estado físico originado por el uso, la administración y el consumo repetidos de un fármaco en forma periódica o continua.

-física. Estado de adaptación que se manifiesta por la aparición de constantes trastornos físicos, cuando se interrumpe la administración de fármacos. Se presentan trastornos de carácter físico o psíquico, según la clase de fármaco utilizado.

-**psíquica.** Estado de sensación que produce un impulso psíquico de satisfacción, el cual conlleva a tomar periódica o continuamente un fármaco, con el propósito de experimentar placer o evitar un malestar.

depresión. Del latín *depressio, -onis*. Espacio o zona de huecos o deprimidos natural o accidentalmente. // Disminución de la actividad vital en una parte o en la totalidad del organismo.

dermatitis. Del griego *derma, atos*, piel, y el sufijo *itis*. Inflamación de la piel, dermitis. // Dermatosis inflamatoria.

dermatosis. Término general para las afecciones de la piel.

-**acarina.** Sarna.

-**angioneurótica.** Enfermedad de la piel debida a trastornos vasomotores.

-**estereográfica.** Dermografía.

-**liquenoide.** Afección caracterizada por la aparición de placas liquenoides en la piel.

-**profesional.** La que se contrae a causa de la ocupación u oficio.

dermis. Del griego *derma*, piel. La piel, especialmente el corion, capa profunda, conjuntiva, nerviosa y vascular de la piel o mucosas.

derrame. Concentración anormal de líquidos o gases en una cavidad natural o accidental. // Exceso de secreción de un líquido normal o patológico.

-**abdominal.** Presencia de líquido en las cavidades del abdomen.

-**cerebral.** Acumulación de serosidad en las meninges encefálicas.

-**purulento.** Colección de pus en una cavidad natural, especialmente de una serosa.

-**sanguíneo.** Acumulación de sangre en una cavidad natural o accidental.

-**seroso.** Hipersecreción patológica de una membrana serosa y acumulación consiguiente del líquido secretado en ésta.

derribamiento. Se encuentra constituido y representado por la caída de la víctima, debida al impacto de un vehículo.

descalcificación. Proemio de la pulverización de los huesos. Ocurre cuando éstos quedan al descubierto y son expuestos a la acción de los líquidos orgánicos provenientes de la putrefacción, o a la humedad del suelo.

descuartizamiento. Deriva del latín *des*, partícula negativa, y *quartum*, dividir a un cuerpo en cuatro. Acción de cortar en segmentos un cuerpo o un cadáver humano. Se clasifica el descuartizamiento en tres formas: religiosa o sacrificio, judiciaria o suplicio y criminal.

desfloración. Pérdida de la virginidad de una doncella. Desvirgación.

deshidratación. De *des-* y el griego *hýdor*, agua. Separación del agua de una sustancia o compuesto. // Disminución o pérdida del agua de constitución de los tejidos. //

Restricción de la ingestión de líquidos.

desintoxicar. Contrarrestar los efectos nocivos, en un ser vivo, de una sustancia tóxica.

destoxicar. Disminuir la toxicidad de una sustancia.

desviación. Acción de desviar o cambiar de dirección. // Dirección viciosa o anormal de una parte u órgano.

-de los dientes. Anomalías en la dirección de las piezas dentarias que comprenden la eversión, inversión, inclinación lateral y rotación sobre el eje.

-estrábica. Dirección anormal del ojo en el estrabismo.

-médica forense. Cambios bruscos en la dirección que sufren los proyectiles en el interior de un cuerpo al chocar con estructuras compactas.

-sexual. Alteración psicológica que sufre un individuo, independiente del sexo, que debe satisfacer sus instintos sexuales utilizando medios, físicos o psicológicos, como la violencia, las lesiones, el deseo sobre cosas o animales o personas de su propio sexo, o de diferentes edades.

dicotomía. Repartición de los honorarios profesionales o técnicos entre varios individuos que ejercen la misma actividad y que se envían entre sí a los solicitantes de sus servicios, para realizar estudios, asesorías u otros trámites innecesarios, infundados, simulados o inútiles, con el propósito de tener mayor número de ingresos.

dictamen. Del latín *dictamen*. Opinión, juicio, parecer.

-médico. Opinión médico-legal vertida sobre un hecho pasado, tomando en consideración los antecedentes de lo sucedido, con base en documentación o información valedera, para expresar un juicio al respecto. Todo dictamen deberá contener, por lo menos: introducción, descripción, discusión con su opinión respectiva, conclusiones, firma y fecha.

-pericial. Documento con el cual el perito produce, ante la autoridad competente que conoce del litigio o investigación, su juicio u opinión sobre los puntos controvertidos que le fueron sometidos y que servirá de base para forjar un criterio al juzgador.

diente. Del latín *dens*, *dentis*. Cada uno de los órganos duros, blancos, lisos, engastados en los alveolos de los maxilares y que sirven para realizar la masticación de los alimentos.

-artificial. Diente fabricado de porcelana u otro material, que imita al natural.

-de leche. Dientes de la primera dentición.

-impactado. Pieza dentaria por debajo de la encía, que no ha podido emerger a la boca.

-permanente. Diente de la segunda dentición.

dimorfismo. Del griego *di*, dos, y *morphe*, forma. Corresponde a lo que puede presentarse de dos formas diferentes.

diplomática. Ciencia que estudia los diplomas u otros documentos oficiales.

-documentoscopia. Disciplina por medio de la cual se realizan estudios de los documentos antiguos.

dirección. Del latín *directio*. Acción de dirigir. // Línea de movimiento de un cuerpo. // En el área de documentos cuestionados se conoce a esta característica general de la escritura como la desviación que tiene de la línea base u horizontal.

-de las líneas ascendentes. Camino que siguen las rayas que suben para formar las letras.

-de las líneas descendentes. Camino que siguen las rayas que bajan para formar las letras.

-de las líneas horizontales. Camino que siguen las rayas paralelas al plano donde se escribe para formar las letras.

directrices. Líneas imaginarias que parten de las ramas o ángulos superiores internos y externos de los deltas y continúan paralelamente a las crestas, dividiendo los sistemas crestales.

directriz basilar. Cresta más próxima al centro de la yema del dedo, y sirve de limitante o marco al sistema nuclear en su parte inferior. Se encuentra en la parte más elevada del sistema basilar, su nacimiento se origina en el costado de la yema del dedo, su recorrido es transversal hacia el costado opuesto, y en algunas ocasiones se corta o es separada por otras crestas, pero éstas se relacionan con el mismo sistema.

disimulación. Apariencia de un estado de salud favorable, pero que en realidad se encuentra bajo un padecimiento de disminución de la salud.

dispareunia. Coito doloroso y difícil.

disparo. Acto de arrojar, tirar o lanzar con violencia.

-a corta distancia. Disparo en el que, por lo regular, la distancia entre el cuerpo u objeto y la boca del cañón es de 3 a 15 cm. Este tipo de disparo denota la presencia de elementos integrantes del tatuaje, como el ahumamiento y los granos de pólvora alrededor del orificio de entrada. De lo anterior y con las características descritas, puede determinarse la distancia del disparo.

-a larga distancia. El realizado a una distancia de más de 45 cm, lo cual constituye la ausencia de los elementos de tatuaje, como el ahumamiento.

-a quemarropa. Disparo que en su orificio de entrada presenta una cintilla de contusión y un tatuaje denso y ennegrecido, determinándose en su superficie los efectos de la quemadura de la llama, que da pauta a calificar que el disparo fue hecho a una distancia no mayor al alcance de la llama.

-de contacto. Disparo a "boca de jarro". Se lleva a cabo con la boca del arma en contacto con la piel, provocando las lesiones del llamado golpe de mina y el signo de Benassi.

DNA. Ácido desoxirribonucleico. Elemento de importancia en identificación forense.

doble presilla. En un dactilograma que presenta una doble presilla con dos deltas definidos, sólo se tomará el más alejado del núcleo.

docimasia. Del griego *dokimasia*; de *dokimadsein*, poner a prueba. Ensayo o examen. // Prueba oficial.

-auricular. Signo de Wreden de respiración del recién nacido, deducido del examen del oído, el cual, en caso afirmativo, contiene aire.

documento. Del latín *documentum*. Título o prueba escrita, cualquier cosa que sirva de prueba. // Todo aquello que contiene información (revistas, periódicos, papiros, pergaminos, pedazos de piedra, etc.).

-antiguo. Documento que al ser valorado por los científicos e historiadores, se determina su autenticidad y el tiempo aproximado de su elaboración.

-apócrifo. Escrito o documento alterado o que ha sido imitado, no expedido por quien tiene la facultad para hacerlo.

-cuestionado. Todo aquello que contiene información, pero se tiene la duda de ser verídica o falsa.

-legal. Documento expedido por una autoridad facultada para ello.

documentoscopia. Rama de la criminalística encargada, por medio de conocimientos, métodos y técnicas, de establecer la veracidad, autenticidad o falsedad de toda clase de documentos con escrituras a mano, en sus diversas variedades, mecanografiadas o de imprenta, haciendo probable la identificación del individuo responsable de un hecho. Las disciplinas que aplica la documentoscopia son la caligrafía, la grafoscopia, la criptografía y la paleografía, entre otras.

dolo. Voluntad externada con el conocimiento de quebrantar un deber o una norma, y existe la intención de ejecutar un hecho delictuoso.

droga. Cualquier sustancia vegetal, animal o mineral medicamentosa de efecto estimulante, deprimente o narcótico.

-causante de dependencia. Aquella sustancia cuya interacción en un organismo vivo puede provocar dependencia física, psíquica o de ambos tipos. Las drogas pueden utilizarse con fines médicos o no médicos sin producir necesariamente el anterior estado. Existen diversas clases de drogas que causan dependencia: alcohol, barbitúricos, anfetamina, *cannabis*, cocaína, alucinógeno, krat, opiáceos y solventes volátiles.

-con fin no médico. Consumo sin una indicación médica de sustancias que causan dependencia.

-psicotrópica. Proviene del griego *psyché* y *trope*, cuyo significado es que modifica la mente. Aquella sustancia que influye en el estado afectivo, la conducta, las percepciones o la conciencia. Se aplica lo anterior a las drogas que pueden causar dependencia, en virtud de que todas ejercen diversos efectos sobre el sistema nervioso.

-tranquilizante. Droga cuya acción principal es modificar los procesos mentales o emocionales de la actividad psíquica. Su característica principal es la de calmante. Se divide en drogas tranquilizantes mayores, las cuales activan eficazmente la psicosis, y en drogas tranquilizantes menores, aplicadas a padecimientos de neurosis con tensión o ansiedad.

drogadicción. Padecimiento ocasionado por el uso excesivo de enervantes o psicotrópicos.

Duquénois, prueba de. Véase PRUEBAS.

ebriedad. Embriaguez. // Síndrome cerebral orgánico agudo, ocasionado o asociado a la intoxicación alcohólica.

-complicada. Conducta compulsiva, furiosa y desorganizada, de aparición brusca, ante la ingestión de pequeñas cantidades de bebidas embriagantes. Comprende trastornos crepusculares o psicóticos del juicio y de la conciencia, con intensa excitación psicomotriz, que constituye trastorno mental transitorio incompleto o completo, respectivamente. Durante su curso se puede padecer de alucinaciones, reacciones de pánico o de cólera, y actos explosivos de agresión o destrucción.

-con alucinosis alcohólica. Estado de urgencia psiquiátrica, ya que en esta etapa el paciente puede cometer homicidio o suicidio, ante las alucinaciones que sufre. Por lo general son alucinaciones auditivas (oye que lo amenazan) que establecen un delirio sistematizado con gran ansiedad. Se diferencia del *delirium tremens* en cuanto a su sensorio lúcido durante la crisis y la ausencia de trastornos de la memoria una vez pasado el episodio.

-*delirium tremens*. Se presenta como respuesta de la abstinencia o disminución en la ingestión alcohólica. Se caracteriza por las alucinaciones visuales y temblores. Las alucinaciones consisten en que el paciente cree ver animales pequeños y aterradores. A veces también hay alucinaciones táctiles y auditivas. El sistema nervioso vegetativo del paciente se encuentra hiperactivo, con aceleración del corazón, movimientos laterales rápidos y temblor en los dedos; el paciente se encuentra asustado, desorientado, distraído y con defecto en la memoria.

-simple. Forma de intoxicación débil por la ingestión de bebidas embriagantes. Se manifiesta por una deficiencia de control de los impulsos, incoordinación psicomotriz, trastorno del lenguaje, belicosidad, confusión obnubilación que puede llegar a la suspensión de las funciones mentales superiores, y somnolencia.

ectrodactilia. Anormalidad de la mano. Se presenta cuando los dedos de una o de ambas manos son rudimentarios por no haber logrado su desarrollo normal; los dedos parecen pequeños colgajos en forma de pequeñas bolas colgantes. Para su clasificación se utiliza la abreviatura ectro.

edad. Del latín *aetas, atis*: tiempo transcurrido desde el nacimiento.

-adulta. Época de la vida desde los 30 hasta los 50 años.

-anatómica, fisiológica. La medida por el desarrollo de los órganos o de sus funciones, respectivamente.

-crítica. Época de la vida de la mujer en la que cesa la menstruación.

-cronológica. La medida por los años de vida.

-madura. Edad adulta.

-mental. La deducida por las pruebas de inteligencia.

edema. Del griego *oidêma*, hinchazón. Tumefacción de la piel, ocasionada por la infiltración de serosidad en el tejido celular.

edentado. Véase EDÉNTULO.

edéntulo. Individuo que carece de dientes naturales. // *Edentado*.

efecto. Corresponde al resultado de una cosa.

-adverso. Para el área de toxicología, cambio que produce disminución de las capacidades normales anatómicas, fisiológicas, bioquímicas o de comportamiento. Una sustancia puede originar diversos efectos en los órganos o tejidos, desde inapreciables hasta la muerte.

-de respuesta. Proporción de una parte de la población que presenta los efectos de una sustancia aplicada exclusivamente a ellos.

-tóxico. Cualquier resultado pernicioso o adverso sobre el cuerpo, que es reversible o irreversible.

electrocución. Muerte, real o aparente, por una descarga eléctrica.

elegancia del texto. Forma bella, graciosa y airosa que determinadas personas imprimen a las escrituras que hacen.

elipse. Curva cerrada que resulta cuando se corta un cono por un lado plano que cruza todas las directrices.

-dactiloscópica. En esta área, figura dactiloscópica formada por crestas cuyo diámetro horizontal es superior que el vertical o viceversa.

embalaje. Procedimiento mediante el cual los peritos en criminalística procuran la conservación, preservación y guarda de los instrumentos, evidencia e indicios encontrados en el lugar de los hechos, en la víctima o incluso en el victimario. Para preservar lo anterior, se utilizan comúnmente bolsas de polietileno, cajas de madera o de cartón o portaobjetos, entre otros, con el fin de llevar a cabo el embalaje.

embalsamamiento. Procedimiento que tiene por objeto la conservación temporal o definitiva del cadáver. Se realiza para posponer la inhumación. La mayoría de las soluciones embalsamadoras tienen como ingrediente principal el formol.

embestimiento. Véase ATROPELLO.

embolismo. Del griego *embolismós*, embolia. Reducción de huesos luxados.

emoción. Del latín *emotio, -onis*. Sentimiento intenso, agradable o penoso y más o menos duradero, que influye poderosamente en numerosos órganos, cuya función aumenta, altera o disminuye.

-violenta. Estado psíquico fugaz durante el cual el individuo actúa con obnubilación del juicio crítico y disminución del control de impulsos. Se ubica dentro de las formas de trastorno mental transitorio incompleto. Se distingue de la demencia, ya que mientras el demente actúa sin querer actuar, en la emoción violenta se actúa queriendo, pero impulsado por la ruptura de los frenos inhibitorios.

empalamiento. Penetración de un elemento contusivo, de eje longitudinal mayor que el transversal, por la región anal o perineal.

empaste. Rasgo muy entintado que cubre a otros en la misma letra y que no deja ver los ya existentes.

epidemiología. De *epidemia* y del griego *logos*, tratado. Tratado sobre las epidemias.

empleo de siglas. Uso de las letras iniciales que sirven como abreviaturas de una palabra.

enajenación mental. Locura, alienación.

encierro. Acción de encerrar.

-por dactiloscopia. Cresta que en su trayectoria se bifurca para luego unirse y dar origen a un ojal, denominado como encierro.

enclavamiento. Variedad de las heridas contusas, originadas por la penetración de un elemento duro en cualquier parte del cuerpo, con excepción de la región anoperineal.

enderezamiento. Rasgo de letras que al estar torcido, ha sido puesto derecho por el escribiente.

enfisema. Del griego *emphysema*, de *emphysân*: soplar. Estado de un tejido distendido por gases, especialmente la presencia de aire en el tejido celular subcutáneo o pulmonar.

-alveolar. Distensión de los alveolos pulmonares en el enfisema pulmonar.

-atrófico. Enfisema senil con rarefacción progresiva del tejido pulmonar.

-cutáneo. Enfisema subcutáneo.

-falso. Desarrollo de gases en el tejido celular subcutáneo a consecuencia de un traumatismo como resultado de la putrefacción o gangrena.

-**intersticial.** Enfisema pulmonar por escape del aire de los alveolos, que se infiltra en los intersticios interalveolares.

-**pulmonar.** Dilatación exagerada y permanente de las vesículas pulmonares, con atrofia y rotura de las paredes de éstas, debida generalmente a esfuerzos excesivos en la respiración.

-**quirúrgico.** Enfisema traumático o verdadero.

-**subcutáneo.** Enfisema traumático de los intersticios del tejido celular subcutáneo.

-**traumático.** Infiltración de aire o gases en el tejido celular subcutáneo a consecuencia de un traumatismo, accidental u operatorio.

-**vaginal.** Colpohiperplasia quística.

-**verdadero.** Infiltración aérea del tejido celular consecutiva a un traumatismo.

enfriamiento cadavérico. Fenómeno físico y espontáneo, originado por la cesación de funciones del cuerpo al ocurrir la muerte. Se considera que la pérdida de la temperatura de un cadáver es variable, siendo lenta en las primeras horas (un grado por hora) y aumentando en las posteriores. Se equilibra con la temperatura ambiente alrededor de 20 horas después de la muerte.

enlace. Para el área de documentos cuestionados, característica general de la escritura que se conoce como segmento de unión de dos letras o entre dos elementos de una misma letra. Se clasifica en: curvo, anguloso y recto.

enmiendas. Corrección o satisfacción de un daño.

-**por documentoscopia.** Corrección de errores o defectos que voluntaria o involuntariamente hace el escritor.

enroscamientos. Doblez que en forma de rosca presentan algunas letras.

entomología cadavérica. Primeras fases de la putrefacción, en las cuales se presentan las larvas, que van consumiendo el cadáver hasta causar su descomposición.

epilepsia. Síndrome cerebral orgánico crónico asociado a estados convulsivos, que puede tener un origen congénito o adquirido. Clásicamente se le ha distinguido en epilepsia sintomática y epilepsia esencial.

equimosis. También se le conoce como cardenal, que consiste en la extravasación e infiltración sanguínea en el espesor de los tejidos contundidos. Para que se presente esta clase de lesión se requiere ruptura de vasos sanguíneos, circulación sanguínea, presión arterial o venosa adecuada, coagulación sanguínea, y extravasación de glóbulos rojos y blancos cerca de la lesión. Su característica principal es ser una lesión vital y puede acompañar a los derrames sanguíneos.

eritema. Del griego *erythema*, rubicundez. Enrojecimiento de la piel difuso o en manchas, producido por la congestión de los capilares, que desaparece momentáneamente por la presión.

erostratismo. De *Eróstrato*, nombre del efesio que para adquirir celebridad incendió el templo de Artemisa. Comisión de delitos por afán de notoriedad.

escara. Del griego *schara*. Costra negra o pardusca, resultado de la mortificación o desorganización de un tejido por efecto de la gangrena debida a la acción del calor o de un cáustico.

escarapela de Simonin, signo de. Véase SIGNOS.

escena de la muerte. Se conoce también como investigación en la escena del suceso, la cual corresponde al lugar donde es hallado el cadáver y consiste en la búsqueda meticulosa y ordenada de signos en el cuerpo y en sus inmediaciones que realizan tanto el perito criminalística del campo como el médico forense.

escopofilia. Véase VOYEURISMO.

escotadura o muesca. Explicación del movimiento que el agresor imprime al instrumento para extraerlo después de haberlo clavado en la víctima, ocasionando una lesión. // Término para describir heridas punzocortantes.

escritura. Representación de signos gráficos entendibles. La escritura por medio del punto da origen a un trazo. El estudio de la escritura se realiza con base en sus características generales, morfológicas y estructurales o gestos gráficos.

espasmo. Contracción involuntaria persistente de un músculo o grupo muscular; en algunas ocasiones se reserva el nombre de espasmo para denominar la contracción tónica persistente de los músculos de fibra lisa.

-atetoide. Espasmo de un miembro con movimientos semejantes a los de la atetosis.

-bronquial. Contracción espasmódica de los músculos de Reisseissen.

-cadavérico. Contracción inmediata y súbita que se produce en las muertes violentas y mantiene *post mortem* determinada posición o actitud corporal.

-esencial. Convulsión espasmódica neurótica.

-esofágico. Contracción del esófago.

-facial. Tic convulsivo.

-mesogástrico. Estado espasmódico de las fibras circulares del estómago, que produce dos cámaras en el órgano y suele indicar una úlcera de la curvatura menor.

-respiratorio. Espasmo de los músculos de la respiración.

-tóxico. Espasmo debido a un veneno.

-uterino. Contracción total o parcial de las fibras musculares del útero durante el parto o después de éste, que produce variaciones de forma del órgano.

esperma. Del griego *sperma*, simiente. Semen o secreción testicular. // Líquido complejo eyaculado en el orgasmo venéreo, que consta además del semen puro, del líquido de las vesículas seminales y del líquido prostático y secreción de las glándulas de Cooper. // *Semen*.

espectrómetro de masas. Instrumento sensible y preciso para identificar compuestos orgánicos. Para su utilización, la muestra debe encontrarse en estado gaseoso y se introduce en una cámara de ionización, donde es bombardeada en ángulos rectos con una corriente de electrones energizados. Al ser golpeada, la muestra se divide en moléculas de fragmentos iónicos con carga eléctrica, las partículas de carga eléctrica positiva se agrupan en los polos negativos y viceversa. Este proceso de recolección y registro se repite para identificar a las partículas con diferentes relaciones de masa-carga, lo cual modifica progresivamente los campos electrostáticos.

espiral. Curva abierta que se aleja cada vez más de su centro.

-dactiloscópica. Figura dactiloscópica formada por crestas que se arrollan sistemáticamente del centro hacia la periferia, dando origen a diversas formas y variedades.

espontaneidad. Libertad o facilidad de realizar una firma, aspecto importante para el área de documentos cuestionados.

espuela. Clavo de metal con puntas, el cual se ajusta al talón para picar la cabalgadura.

-en documentos cuestionados. Espiga que algunas personas adicionan al comenzar las letras.

esputo. Resultado de secreciones bronquiales, que se integra de elementos nasales y salivales.

esquirla. Pequeña porción o astilla de un hueso, desprendida de éste por caries o fractura. También puede tratarse de astillas resultantes de los proyectiles de las armas de fuego, de piedras o vidrios, que al impactarse contra algún objeto o persona producen residuos importantes para una investigación criminal.

esquizofrenia. Del griego *schidsein*, dividir, y *phren*, mente. Enfermedad mental del grupo de psicosis sin alteración anatómica conocida, en cuya etiología destacan factores generales, psicológicos y socioculturales. Síntomas: indiferencia, deformación de la personalidad, tendencia al aislamiento, disgregación de la personalidad, introversión, negativismo y estereotipias. // Demencia precoz.

estado peligroso. Véase PELIGROSIDAD.

estafador. Véase ZASCANDIL.

esterilidad. Calidad de estéril. // Incapacidad del hombre para fecundar o de la mujer para concebir. // Ausencia absoluta de microorganismos.

esterilización. Destrucción de los microorganismos contenidos en una parte u objeto cualquiera por medios físicos o químicos; desinfección, asepsia y antisepsia. // Operación que tiene por objeto privar a un individuo de la facultad de reproducción.

estigma. Del latín *stigma*, picadura, señal, y éste del griego *stidsein*, picar, punzar. Mancha, cicatriz o impresión en la piel. // Espacio u orificio entre células endoteliales.

-de degeneración. Cualquier anormalidad orgánica en los degenerados.

-histérico. Alteración morbosa con características somáticas o psíquicas, como hemianestesia, zonas histerógenas, reducción del campo visual, etcétera.

-psíquico. Estado mental caracterizado por susceptibilidad a la sugestión.

-somático. Signo orgánico de ciertas enfermedades nerviosas.

estigmas. Erosiones y petequias de la mucosa gástrica en forma de úlcera gástrica aguda.

-digitales equimóticos. Heridas contusas superficiales producidas por compresión de los pulpejos de los dedos.

-ungueales. Heridas contusas superficiales producidas por compresión ejercida con las puntas de las uñas, con apoyo de los pulpejos de los dedos.

estimulante. Agente o medicamento que excita la actividad funcional de los diversos órganos.

-alcohólico. Aquel que tiene por base de ingestión líquida el alcohol etílico, como el vino, licores, etcétera.

-difusivo. Su acción es general y pronta, pero transitoria. Algunos obran al mismo tiempo como sedantes del sistema nervioso: alcanfor, éter, amoniaco, etcétera.

-local. El que actúa principalmente sobre la parte en que se aplica.

-nervioso. Estimulante de los centros nerviosos, cerebrales o medulares.

-respiratorio. Aquel que aumenta los movimientos de la respiración.

-vascular. Aquel que actúa sobre los centros vasomotores.

estomatología forense. También es conocida como odontología legal o forense. Una de las disciplinas que a la fecha ha cobrado mayor importancia para la identificación de personas descarnadas, putrefactas o quemadas, mediante el estudio de la cavidad bucal (tejidos, piezas y arreglos dentales, elaborando moldes y fórmulas dentarias).

estrangulación. Mecanismo de muerte, producido mediante asfixia, por compresión en la laringe, la cual se cierra al aplastarse contra el plano duro vertebral y produce anemia cerebral. La irritación laríngea puede causar la muerte por parálisis cardiaca.

estupefaciente. Del latín *stupeo* y *facere*. Lo que causa estupor.

estupor. Estado de inconsciencia parcial con ausencia de movimientos y reacción a los estímulos, que se puede observar en formas graves de tifoidea, de melancolía y en la catatonía.

-agudo o primario. Demencia aguda.

-anérgico. Forma de demencia en la que el paciente está quieto y a nada se resiste.

-epiléptico. Aquel que se presenta después de un ataque convulsivo.

estupro. Acceso carnal con una doncella menor de edad, logrado con engaño o abuso de confianza.

eutanasia. Muerte piadosa, suave y sin dolor. Existe una teoría que defiende la licitud de acortar o dar por terminada la vida de un paciente que sufre una enfermedad incurable.

eventración. Heridas en *hara kiri*, realizadas por instrumento punzocortante en la pared abdominal. Se efectúan en dos tiempos: el primero para seccionar la pared y el segundo para atravesar las asas intestinales y sus elementos vasculares. La forma puede ser ligeramente curva o lineal, con inicio en el lado izquierdo para los diestros y viceversa para los zurdos. // Heridas típicamente suicidas, de origen oriental.

evidencia. Certeza clara, manifiesta, de una cosa.

-criminalística. Aquellos indicios valorados por los peritos en las diferentes áreas de las ciencias forenses, aplicando conocimientos, pruebas y métodos científicos, coadyuvando a normar la conducta o criterio del juzgador.

excoriación. Desprendimiento de los estratos superficiales de la epidermis, con indemnidad de la capa germinativa. Se debe a la fricción tangencial del agente contundente. Se observa que las lesiones se encuentran cubiertas por una costra serosa, serohemática o hemática, por ejemplo: en el arrastre en víctimas de atropello por vehículos automotores. Estas lesiones suelen sanar en pocos días y son de aspecto rojizo.

exhibicionismo. Exposición pública, intencional y compulsiva de los genitales. Se describe en hombres que, por lo general, lo hacen ante niñas o mujeres.

exhumación. De *ex*, fuera, y *humus*, tierra. Acción de desenterrar del suelo, bóveda, nicho o cripta a un cadáver, generalmente por voluntad de los deudos, con propósitos de traslado o cremación, o por orden judicial. En este último caso sirve para practicar una autopsia u otro reconocimiento tendiente a establecer la causa de la muerte o a recoger algún dato necesario para una investigación judicial.

existencia de formas anormales. Aquella en la cual un escrito tiene realmente figuras que se hallan fuera de su estado natural y de las condiciones que le son inherentes.

exposición. Acción o efecto de exponer o demostrar. // Para la toxicología, situación en la que una sustancia tóxica puede ser absorbida.

explosión. Conmoción acompañada de detonación y producida por el desarrollo repentino de una fuerza o la expansión súbita de un gas.

-criminalística. Ruptura de recipientes, por lo general metálicos, que contienen vapores o gases comprimidos, los cuales, mediante una reacción química brusca de sustancias, dan origen a una producción de gases.

explosivos. Disciplina de la criminalística encargada de investigar, por medio de los diferentes métodos, conocimientos y técnicas, siniestros producidos por explosiones, con el propósito de localizar cráteres, focos y demás evidencias destinadas a determinar el origen, la forma y las manifestaciones.

extrodelto. Formación producida por más de dos crestas fuera de la cresta principal. Para su clasificación se representa con el número 3; en casos contrarios, se representa con el número 4.

eyaculación. Del latín *eiaculatio, -onis*. Emisión súbita de un líquido, como la del semen.

-precoz. Eyaculación prematura.

falange. Huesillos que integran o componen los dedos.

falangeta. Tercer huesillo o falange.

falangina. Segundo huesillo o falange.

falsificación por imitación libre. Para realizarla el falsario se dedica a efectuar ejercicios hasta reproducir la letra que desea. Este tipo de imitación bien hecha no presenta interrupciones, ni retoque, ni rasgos subyacentes, ni oscilaciones, ni diversos matices en los rasgos de tinta.

fármaco. Aquella sustancia que, al ser introducida en un organismo y al difundirse en él, puede producirle o no cambios favorables. Los fármacos empleados para el tratamiento de enfermedades son los medicamentos.

farmacodependencia. Estado psíquico y en ocasiones físico, causado por la interacción entre un organismo vivo y un fármaco. La manifestación de este problema se presenta en la alteración del comportamiento agresivo o no. Para la legislación mexicana, se le considera el hábito o necesidad de consumir, sin un fin terapéutico, algún estupefaciente o sustancia psicotrópica.

farmacología. Proviene del griego *pharmakon*, medicamento, y *logos*, tratado. Disciplina médica encargada de estudiar los medicamentos y agentes químicos, como los fármacos o drogas, que actúan sobre seres vivos al ser suministrados.

fauna cadavérica. Organismos que parecen alimentarse de los cadáveres, cuya presencia puede ayudar a determinar, aproximadamente, el momento en que ocurrió la muerte.

feticidio. Del latín *fetus*, feto, y *caedere*, matar. Destrucción del feto en el útero.

fetichismo. Excitación o placer sexual mediante la mirada o el contacto con prendas o partes del cuerpo del ser deseado. El orgasmo puede ser espontáneo u ocurrir mediante la masturbación.

feto. Del latín *fetus*. Producto de la concepción desde el final del tercer mes hasta el parto.

-arlequín. Feto nacido prematuramente.

-papiráceo. Feto momificado, comprimido por el desarrollo del gemelo vivo.

-parásito. El que se nutre de su gemelo más desarrollado o autósito.

-sanguinolento. Feto macerado.

-viable. Feto a partir de los seis meses de gestación.

ficha. Cédula de cartulina o papel fuerte que suele clasificarse.

-decadactilar. En dactiloscopia se conoce como la tarjeta diseñada para la impresión de dactilogramas de los dedos de las manos. Dicha tarjeta se encuentra dividida en casilleros para la impresión de cada dedo.

-de identificación. En las ciencias forenses, clase de ficha para dividir a sujetos o cadáveres por sus características generales.

-monodactilar. Para el área de dactiloscopia, tarjeta donde se asienta la huella de un dedo.

fijación. Acción de fijar o establecer.

-del lugar de los hechos. En criminalística, término para identificar el sitio donde se han encontrado evidencias, indicios y demás manifestaciones materiales, utilizando los siguientes tipos: descripción escrita, fotografía, planimetría simple o de Kenyeres, y moldeado.

filicidio. Muerte ocasionada por uno o ambos padres a sus descendientes.

filhos-Langer, líneas de. Véase Líneas de clivaje de Filhos-Langer.

final. Para el área de documentos cuestionados, se consideran característica general en una firma los rasgos o trazos posteriores a la letra, pero éstos no forman parte de aquélla. Se clasifican como sigue: en punta, romos, angulosos, en gancho, curvos y rectos (a su vez, éstos pueden ser grandes, medios o cortos).

firma. Corresponde al nombre de una persona que pone ésta, con rúbrica, al pie de un escrito. En el área de documentos cuestionados se conoce como la identificación de una persona ante los demás, mediante trazos o grafitos. La firma se puede integrar por el nombre y la rúbrica. Para el estudio de la firma se necesita analizar las siguientes características: velocidad, habilidad, presión, tensión de la línea y espontaneidad de la escritura.

-auténtica. Conjunto de formas y rasgos gráficos que durante un tiempo determinado mantienen constantes las características que identifican a una persona ante los demás y es reconocida por su titular.

-en blanco. Aquella que se estampa en un papel en blanco para acreditar lo que otro escriba en él.

-ilegible. Aquella en que ninguno de los elementos se pueden distinguir ni leer.

-legible. Se le considera así cuando aparece el nombre en la firma y se puede leer.

-semilegible. Se le denomina de esta forma en virtud de que algunos de los elementos del nombre se pueden leer.

física. Ciencia natural encaminada al estudio de los cuerpos y sus leyes y propiedades, mientras no cambie su composición, colabora con la criminalística mediante la óptica utilizando la espectroscopia, la fotografía, la microscopia, la mecánica, la electricidad, los rayos X, las luces ultravioleta e infrarroja, el análisis por activación de neutrones (física nuclear), la espectrofotometría de absorción atómica, todo ello para el uso de laboratorios forenses.

flacidez. Aflojamiento, debilidad. Relajamiento de los músculos de un cadáver, el cual se presenta posteriormente de ocurrida la rigidez.

flictena. Del griego *phlyktaina*, pústula, ampolla. Lesión cutánea elemental que consiste en una ampolla o vesícula formada por la epidermis levantada, llena de suero, como en las producidas por quemaduras.

flora cadavérica. Especies que pueden aparecer en el cadáver dependiendo de las situaciones geográfica y climática y, sobre todo, la estructura fisicoquímica de cada cadáver, en razón de la medicación que hubiere podido ingerir en vida. Destaca fundamentalmente la presencia de algunas clases de hongos que pueden auxiliar para determinar, aproximadamente, el momento en que ocurrió la muerte.

fluresceína, signo de. Véase SIGNOS.

fluxión. Del latín *fluxio*. Acumulación dolorosa de sustancias (serosa o sanguinolenta) en cualquier parte del cuerpo.

fobia. Del griego *phobos*, miedo. Aversión apasionada hacia una cosa, animal, idea o individuo.

fonograma. Coordinación entre las ideas y la trasmisión por medio de sonidos.

fonología. Del griego *phônê*, voz, y *logos*, tratado. Estudio de los diversos sonidos de un idioma.

-forense. Disciplina encargada de analizar e interpretar los sonidos relacionados con hechos criminales o civiles (amenazas, extorsión, secuestros, etc.).

fonómetro. Aparato especial utilizado para medir el sonido.

forense. Perteneciente o relativo al foro o tribunal de justicia.

fórmula. Modelo que contiene los términos en que debe redactarse un documento.

-dactiloscópica. Impresión sobre la ficha decadactilar de los 10 dactilogramas de los dedos de ambas manos.

-de Balthazard-Dervieux. Se utiliza para el diagnóstico de la talla del feto.

-de Bouchout. Sirve para calcular el tiempo de muerte de un individuo, tomando como base la temperatura.

-de Glaister. Sirve para determinar la muerte con base en la temperatura, pero utilizando grados Fahrenheit.

fosa. Del latín *fossa*. Sepultura u hoyo.

-odontológica. Depresión redondeada o angular en la superficie del diente. Respecto a su localización, puede ser: *central* (en cara oclusal de molar), *palatina* (en incisivos y caninos) o *triangular* (en cara oclusal de dientes posteriores).

fotografía. Del griego *phôs* y *phôtos* luz, y *grahein*, grabar. Arte de fijar en una placa, impresionable a la luz, imágenes obtenidas con ayuda de una cámara oscura.

-forense. Área de las ciencias forenses mediante la cual se obtienen utilizando métodos y técnicas con el fin de imprimir y revelar las gráficas necesarias en auxilio de las investigaciones que aplican las demás disciplinas. La fotografía forense en el lugar de los hechos, se divide en: vistas generales, vistas medias, acercamientos y grandes acercamientos.

fractura. Del latín *fractura*. Solución de continuidad en un hueso, producida traumática o espontáneamente.

-abierta. Fractura complicada con herida exterior que comunica con el foco de fractura.

-articular. Fractura de la superficie articular de un hueso.

-cerrada. Fractura simple.

-completa. Fractura que interesa todo el hueso y separa más o menos los fragmentos.

-complicada. Fractura con lesión de las partes adyacentes y en comunicación con el exterior.

-con impacto. Fractura en la que un fragmento penetra en otro.

-congénita. La que se produce en el feto dentro del útero.

-conminuta. Fractura en la que el hueso o una parte de él quedan reducidos a fragmentos o esquirlas.

-de los boxeadores. Aplastamiento de la cabeza e impactación de ésta sobre el cuello, del primer metacarpiano.

-de Malgaigne. Fractura doble unilateral del hueso iliaco, entre el pubis y la articulación sacroiliaca.

-directa. Fractura en el punto de traumatismo.

-doble. Fractura en dos puntos de un mismo hueso.

-en bayoneta. Fractura del tercio inferior del radio y cúbito, que da a la mano el aspecto de dorso de tenedor, por desplazamiento de los fragmentos hacia atrás.

-en caña verde. Fractura subperióstica, en la cual se rompe un lado del hueso y el opuesto se encorva solamente.

-en dorso de tenedor. Véase FRACTURA EN BAYONETA.

-en mariposa. Fractura conminuta en la que hay dos fragmentos, uno a cada lado de otro principal.

- **en ojal o perforante.** Perforación de un hueso por un proyectil.
- **en pico de flauta.** Fractura completa oblicua de un hueso largo.
- **en rama verde.** Fractura en caña verde.
- **en V, en T o en Y.** Fractura en cuyas líneas figuran tales letras.
- **epifisaria.** Fractura en la línea de unión de la epífisis con la diáfisis.
- **espiral o espiroidea.** Fractura en la línea de rotura que sigue una dirección espiral en relación con el eje del hueso, el cual se ha torcido más o menos.
- **espontánea.** La que resulta de enfermedades propias del hueso, como se observa en la ataxia, o de causas desconocidas, sin violencia exterior.
- **estrellada.** La que presenta un foco principal del que parten numerosas fisuras.
- **extracapsular.** Fractura del húmero o del fémur en la proximidad y fuera del ligamento capsular.
- **incompleta.** La que no destruye completamente la continuidad del hueso.
- **indirecta.** Fractura por contragolpe.
- **intraarticular.** Fractura articular.
- **intracapsular.** Fractura de una cabeza articular dentro del ligamento capsular.
- **intraperióstica.** Fractura del hueso sin rotura del periostio.
- **intrauterina.** Fractura congénita.
- **lineal o longitudinal.** Fractura cuya línea sigue una dirección longitudinal.
- **múltiple.** Variedad en la que hay dos o más líneas de fractura del mismo hueso o fracturas independientes.
- **neurógena.** La patológica debida a una lesión nerviosa, como la tabes.
- **oblicua.** Fractura en la cual la línea se extiende en dirección oblicua.
- **parcial.** Fractura incompleta.
- **por arrancamiento.** Fractura al nivel de la inserción de un músculo o tendón producida por contracción muscular o por movimiento brusco que pone en tensión un ligamento.
- **por contragolpe.** Fractura, especialmente del cráneo, distante del punto traumatizado.
- **por torsión.** Fractura espiral.
- **secundaria.** La consecutiva a otra lesión. // Fractura espontánea.
- **simple.** Fractura en la que han quedado intactos los tegumentos suprayacentes.
- **subcutánea.** Fractura simple. // Fractura cerrada.
- **subperióstica.** Fractura incompleta, en rama verde o intraperióstica, en la que no se pierde del todo o nada la dirección propia del hueso, por impedirlo la integridad del periostio.
- **supracondílea o trascondílea.** Fractura del húmero por encima o a través de los cóndilos, respectivamente.

-surcularia. Fractura en caña verde.

-transversa. Fractura en ángulo recto con el eje del hueso.

-trófica. La debida a trastornos tróficos.

fratricidio. Muerte dada por un hermano de sangre a otro.

frenología. Del griego *phren*, mente, y *logos*, tratado. Teoría mediante la cual se establece la posibilidad de adivinar y conocer las facultades e instintos de un individuo por la inspección y palpación de sus protuberancias craneales, que estarían en relación con localizaciones hipotéticas de aquellas facultades en el encéfalo. // *Craneoscopia*.

frigidez. Ausencia del goce sexual en la mujer.

fulminante. Parte integrante del cartucho, la cual contiene la carga explosiva, que al ser percutida, explota e impulsa al proyectil.

galicismo. Giro o vocablo propio de la lengua francesa, empleado en el idioma castellano.

gasa. Tela muy clara y sutil.

-dactiloscópica. Figura dactiloscópica en forma de gota inversa, cuyas ramas se presentan unidas.

gaza. Lazo que tienen determinadas letras.

genética. Área de la biología encargada de estudiar la herencia de los caracteres anatómicos, citológicos y funcionales entre padres e hijos.

-forense. Disciplina que, mediante sus conocimientos, métodos y técnicas, coadyuva en la impartición de justicia.

gerontofilia. Tendencia compulsiva a buscar el placer sexual en el contacto con individuos de edad mucho mayor.

gesto. Del latín *gestus*, expresión del rostro.

-gráficos. En documentoscopia, característica y particularidad escritural inherente a un individuo que lo identifican y lo diferencian de los demás. Para que se considere como gesto gráfico, debe contar con los elementos siguientes: ser automático, invisible, constante, espontáneo, variable, difícil de imitar y difícil de distorsionar.

glande. Del latín *glans*, *glandis*, bellota. Extremidad distal del pene, semejante a una bellota, formada por la expansión de la porción esponjosa de la uretra y cubierta por el prepucio.

golpe de mina. Herida cutánea desgarrada, con una figura estrellada, alargada y con semejanza a las lesiones contusas.

grado de pulcritud. Medida de la calidad que el escritor puso para hacer su manuscrito con esmero, cuidado y aseo.

grafometría. También conocida como análisis grafométrico, medición de los principios elementales obtenidos por la separación de las partes que forman la escritura.

grafonomía. Estudio de la terminología de las palabras.

grafofisiopatología. Disciplina encargada de estudiar la escritura de un individuo en condiciones anormales (enfermos).

grafopsicología. Estudio de los documentos relacionados con secuestros, recados póstumos, anónimos, etcétera.

grafoscopia. Estudia la forma de la escritura moderna y sus rasgos.

grafosiología. Estudio de la escritura de un individuo por el paso del tiempo en condiciones normales.

grupo sanguíneo. Tipo de grupo en que se ha clasificado a la sangre de las personas en relación con la compatibilidad de los corpúsculos y suero de un individuo donador de sangre con los corpúsculos y suero de otro individuo que la recibe. La determinación de este grupo, que al principio se limitaba a la selección de donadores y receptores para la transfusión sanguínea, se ha extendido hoy día a la identidad de la paternidad y a la identificación en criminalística. En la actualidad se clasifica universalmente en O, A, B y AB, que se caracterizan por las diferentes combinaciones de dos aglutinógenos existentes en los corpúsculos rojos y de dos aglutininas α (anti-A) y β (anti-B) contenidas en el suero. El grupo O puede ser donador universal y el AB receptor universal. Los grupos A y AB son divisibles en subgrupos. Existen otros aglutinógenos, como M y N, cuyas aglutinas no existen en el suero humano normal. Las anteriores se obtienen al mezclar sangre humana con suero de conejo.

guión. Signo ortográfico consistente en una raya horizontal que se pone al final del renglón que termina como parte de una palabra, cuya otra parte, por no caber en él, se ha de escribir en el siguiente. Los peritos deberán fijarse si existen guiones para separar oraciones incidentales o si hay guiones para indicar diálogos o para indicar principios de línea.

habilidad escritural. Para el área de documentos cuestionados en la investigación de una firma, la facilidad para reproducir el diseño de las letras o rasgos.

halo de fisch. Se integra por el anillo de contusión y por el anillo de enjugamiento.

Harrison, prueba de. Véase Pruebas.

hechos de tránsito terrestre. Por medio de esta disciplina, la criminalística investiga los fenómenos, formas, orígenes y manifestaciones en atropellamientos o colisiones producidas entre dos o más vehículos, o volcaduras, proyecciones sobre objetos fijos y caídas de personas producidas por vehículos automotores.

hematoma. Tumor por acumulación de sangre.

-arterial. Aneurisma falso circunscrito.

-auris. Tumor sanguíneo en el pericondrio de la oreja.

-dural. Focos sanguíneos en la paquimeningitis.

-pélvico. Hematocele. // Infiltración circunscrita de sangre en el tejido celular de la pelvis.

-pulsátil. Aneurismo falso.

hematología. Del griego *haima*, sangre, y *logos*, tratado. Suma de conocimientos encargados de estudiar la sangre.

-forense. Disciplina que, mediante sus conocimientos, métodos y técnicas, coadyuva en la impartición de justicia.

hemofilia. Estado patológico caracterizado por la excesiva fluidez de la sangre.

hemoglobina. Materia colorante roja de la sangre.

hemorragia. Del griego *haima*, sangre, y *regnymi*, irrupción. Pérdida de sangre como consecuencia del rompimiento de vasos capilares, venas y arterias.

hemostasis. Del griego *haima*, sangre, y *stasis*, detención, estancamiento de la sangre. Detención de una hemorragia mediante una intervención quirúrgica.

herida. Solución de continuidad en las partes blandas. // Lesión o cualquier traumatismo ocasionado por una violencia exterior.

-abierta. Aquella en la cual los labios de la herida se hallan separados.

-articular. Lesión que abre una articulación.

-aséptica. Herida no infectada con gérmenes patógenos.

-contusa o por contusión. Lesión producida por un instrumento u objeto obtuso.

-de defensa. Herida que suele encontrarse en el pliegue de la mano entre los dedos pulgar e índice, en la palma o dorso de la mano, o en el borde cubital de los antebrazos. Se observa sobre todo en agresiones con arma contusocortante o punzocortante. Indica reacciones defensivas en víctimas de homicidio o intento de homicidio por arma blanca.

-de vacilación. Herida superficial y paralela, producida comúnmente por instrumentos cortantes. Se halla a menudo en la cara anterior de las muñecas, en el pliegue del codo, en la cara interna de los tobillos o en una de las caras anterolaterales del cuello (izquierda para los diestros y derecha para los zurdos). Es indicio de suicidio y revela un estado de indecisión del individuo.

-en sedal. Herida penetrante con abertura de entrada y salida en un mismo lado.

-envenenada o emponzoñada. Herida complicada con la introducción de un veneno mineral u orgánico o ponzoña.

-incisa. Herida originada por un instrumento cortante.

-lacerada. Lesión con desgarro o por desgarro de los tejidos.

-pasional. Puede verse en el rostro, en las mamas y en los genitales externos. Representa el final de un psicotrauma y tiene una finalidad dolosa.

-penetrante. Herida producida por un instrumento punzante. // Lesión que deja abierta una cavidad del cuerpo o que lo atraviesa de parte a parte.

-por aplastamiento. Herida contusa en la cual los tejidos se esfacelan por atrición.

-por arma de fuego. Herida por contusión, producida por el proyectil disparado de un arma de fuego.

-por arrancamiento. Lesión en la cual es separado, por tracción violenta, un miembro o un segmento de éste.

-punzante. Herida cuyo mecanismo es la separación de los tejidos; puede presentar un orificio de entrada, un trayecto y un orificio de salida. El orificio de entrada puede presentar un anillo de contusión, producido por el trauma del instrumento si tiene su extremo distal romo o por su puño. El orificio puede llegar a reproducir la sección del agente punzante.

-**punzocortante.** Herida que presenta bordes lineales, curvos, unidos por un extremo agudo y otro en forma de escotadura o muesca. Puede alcanzar órganos vitales profundos, y causar la muerte por hemorragia interna. Es causada por instrumentos que tienen uno o ambos bordes con filo y se une en un extremo agudo, lo cual da una forma triangular de la hoja.

-**séptica.** Lesión infectada con gérmenes patógenos.

-**subcutánea.** Herida de una parte u órgano subcutáneo, en la que sólo existe una pequeñísima abertura en la piel por la cual se ha producido.

-**traumatopneica.** Herida penetrante del tórax, por la que entra y sale el aire.

herrumbre. Óxido, suciedad o partículas que se acumulan en el metal (sobre todo en armas de fuego) que al ser utilizadas pueden acompañar a los proyectiles a lo largo de su trayectoria e incluso impactarse en el cuerpo u objeto determinado.

himen. Del latín *hymen*, y éste del griego *hymén*, membrana. Repliegue membranoso de la mucosa de la vagina que ocluye parcialmente la entrada de ésta en las vírgenes.

-**anular o circular.** Himen en forma de diafragma, con una abertura en el centro.

-**bifenestrado.** Himen con dos aberturas laterales y un ancho tabique entre ellas.

-**bilabiado.** Himen con una abertura central longitudinal.

-**cribiforme.** Himen con varios orificios.

-**franjeado o denticular.** Himen cuya abertura tiene bordes dentados naturalmente.

-**imperforado.** Himen que ocluye totalmente el orificio vaginal. // Atresia vaginal.

-**infundibuliforme.** Himen con un orificio central y en forma de embudo.

-**semilunar o en herradura.** Himen que tiene esta forma, con la concavidad hacia arriba y que sólo ocluye la porción inferior del orificio vaginal.

-**subseptus.** Variedad del himen bifenestrado, cuyo tabique medio es incompleto.

hipersexualidad. Aumento en el deseo sexual o práctica del coito. En el hombre se denomina satiriasis y en la mujer ninfomanía.

hiposexualidad. Trastorno cuantitativo que consiste en una disminución de la sexualidad. En el hombre se denomina impotencia y en la mujer frigidez.

hipotasas. Manchas que se presentan en el cadáver algún tiempo después de la muerte en las proporciones declives y que constituyen uno de los signos de muerte real.

historia clínica. Documento de carácter privado, por el que se comunica en ocasiones y con fines estadísticos o revisiones clínicas, y en el cual se omiten nombres. Esta clase de documento puede transformarse en una prueba valiosa, debiéndose entregar toda la información requerida cuando así lo solicite la autoridad competente.

Hofmann, signo de. Véase SIGNOS.

homicidio. Del latín *homos*, hombre, y *caedere*, matar. Privar de la vida a una persona por uno o varios sujetos. Los homicidios se pueden catalogar en cuanto al parentesco y su relación con el homicida como sigue: feticidio, infanticidio, uroxidio, parricidio, matricidio, fratricidio o autohomicidio (suicidio).

-calificado. Privación de la vida a otra persona cuando se utilizan las calificativas de premeditación, alevosía, ventaja y traición.

-culposo. Homicidio causado por imprudencia, impericia en el arte o profesión, inobservancia de los reglamentos o de los deberes del cargo.

-emocional. Homicidio ocasionado por un estado emocional, debido a un fuerte grado psíquico de sentimiento impetuoso, que se presenta como fenómeno de reacción de un hecho del mundo exterior.

-en riña. Se presenta por medio de las agresiones que se infieren mutuamente un par o varios individuos entre sí, cuyas lesiones tienen como resultado el acaecimiento de alguno o varios de esos individuos.

-insidioso. Alevosía.

-pasional. El que se comete bajo el influjo de una conmoción emotiva fuerte e incontrolada. // Homicidio que tiene como causa inmediata las exaltaciones del amor o del honor, la exacerbación del sentimiento religioso o el ciego fanatismo de una causa política o social.

-piadoso. El que se comete conmovido por sentimientos de lástima, conmiseración, o solidaridad con el dolor de otro. // En algunos países se le conoce también como eutanasia.

-por medio catastrófico. Acción de un individuo encaminada a matar a determinada persona, pero para alcanzar el objetivo se emplea un medio susceptible de ocasionar catástrofe.

-por miedo. Homicidio cometido y originado por una emoción externa, cuyos grados de precaución, concentración, alarma, angustia, pánico y terror pueden engendrar extraños fenómenos psíquicos que colocan al individuo en el trance de delinquir.

-por odio. Homicidio ocasionado por el sentimiento que se combina con la pasión y con el amor, originando magnicidio o tiranicidio, en el que el agente mata al déspota por amor a sus semejantes, a la sociedad que se ha convertido en su víctima, o a los desherederos que sufren los rigores de una desigualdad injusta, según los devaneos igualitarios del homicida.

-por precio o promesa remuneratoria. Se presenta cuando el homicida mata movido por el ánimo de obtener una recompensa material como pago de la acción delictiva.

-**por suicidio.** Se presenta cuando dos personas deciden, de común acuerdo, poner fin a sus vidas, logrando su propósito sólo una de ellas o, en ocasiones, las dos.

-**preterintencional.** Aquel que con el propósito de causar un daño en el cuerpo o en la salud, infiere la muerte a otro cuando el medio empleado no debía razonablemente producir tal efecto.

-**proditorio.** El que se comete aprovechando una situación de ocultamiento moral, pero sin exigirse una premeditación madura del delito.

-**provocado.** Se realiza mediante la provocación, incitación o estímulo ejercido sobre otra persona para determinar su reacción.

-**simple.** Muerte injusta de un individuo por otro, sin que medie ninguna causa de calificación o privilegio.

homosexualismo. Relación sexual entre individuos del mismo sexo. En la mujer se constituye el lesbianismo, el safismo o el tribadismo.

horquilla. Horca u horcón.

-**dactiloscópica.** Cresta que se recurva en forma de gasa, pero unida por la cabeza a otra cresta. Da origen a una curva.

-**del esternón.** Escotadura semilunar en el extremo superior de este hueso.

-**medicinal.** Instrumento quirúrgico de esta forma para levantar y sostener la lengua en la sección del frenillo.

-**vulvar.** Comisura posterior de la vulva.

huella. Figura, señal o vestigio producido sobre una superficie por contacto suave o violento con una región del cuerpo humano o con un objeto cualquiera, impregnada o no de sustancias colorantes. Se divide en dactilar, labial y de pies calzados o descalzados.

-**dactilar negativa.** Figura dactilar de alguno de los dedos de las manos, cuya impresión artificial registra su relieve sobre superficies blandas, como plastilina, arcilla, masa, jabón suave, yeso, pintura fresca, etcétera.

-**dactilar positiva.** Figura dactilar de alguno de los dedos de las manos, cuya impresión artificial es producida por el uso de alguna sustancia colorante, como tinta, grasa, aceite, sangre, etcétera.

-**latente.** Figura invisible producida por el sudor emanado de los poros sudoríparos de las papilas dactilares al contacto con una superficie lisa o pulida.

humo. Suspensión de pequeñas partículas en gases y aire calientes. Las partículas consisten en carbón y están revestidas por productos combustibles, como ácidos orgánicos y aldehídos. Los gases tienen una composición variable, aunque el monóxido y el dióxido de carbono están siempre presentes y constituyen la mayor parte.

iatrogenia. Producción de condiciones patológicas en el paciente como resultado de la actuación profesional del médico. Las afecciones iatrogénicas se deben a la falibilidad profesional inherente a todo acto humano. Para hacer la calificación de una afección iatrogénica, debe descartarse la existencia de dolor, culpa o concausa.

Icard, signo de. Véase SIGNOS.

identidad. Del latín *identitas*. Conjunto de rasgos y caracteres físicos de una persona, haciéndola única a sí misma y distinta de todas las demás.

identificación. Acción de identificar, reconocer a una persona, objeto, animal o cosa, la cual se busca y está relacionada con situación jurídica.

identificar. Determinar de manera inequívoca la verdadera personalidad de un individuo, un lugar o una cosa, sin existir confusión.

identikit. Técnica de superposición de placas transparentes que contiene gran variedad de particularidades fisonómicas, con el fin de identificar a las personas. En la actualidad, con la ayuda de un sistema computarizado se puede lograr con más éxito, la identificación de una persona.

identoestomatograma. Formato esquemático con carácter legal, en el que se registran las características bucodentales de un cadáver no identificado, con el propósito de compararlo con una ficha dental *ante mortem* y lograr su identificación. Se le conoce como ficha dental *post mortem*.

ideograma. Capacidad para trasmitir las ideas.

ignofalangometría. Medición de las falanges de los dedos.

imitación servil. Imitación con bajeza y desdoro. El falsario pone enfrente de sí la firma que quiere reproducir y la copia, de la mejor manera que puede.

impacto. Del latín *impactus*, choque. Colisión súbita y violenta de dos objetos, con penetración y detención de uno en otro.

-en balística. Huella o señal de un proyectil.

-en medicina. Fractura del cráneo, de las costillas, del cuello del fémur o del radio, en varios fragmentos, de los cuales unos se empotran en los otros.

-en odontología. Estado en el que un diente está implantado en el alveolo, de tal manera que es imposible su erupción.

impericia. Falta de pericia o incapacidad para desarrollar alguna actividad técnica, práctica o profesional.

impresión. Molde de la boca o de parte de ella, hecho de plástico, cera, alginato u otro material dental.

imprudencia. Falta de prudencia.

impotencia sexual. Incapacidad del hombre para hacer la cópula, ocasionada por trastornos de la erección, de la eyaculación o del deseo sexual.

impulsividad. Grado anormal, que consiste en el impulso irresistible de atacar, tomar cosas ajenas y disfrutarlas. Esta condición se observa en casos de retardo mental, lesión orgánica de lóbulos temporales del cerebro, trastornos de personalidad, manías e hipomanías. En condiciones de tensión emocional o bajo la intoxicación del alcohol, puede presentarse también en personas normales si son inmaduras. Para concluir el examen psiquiátrico, es conveniente realizar un estudio neurológico en el que se incluya un electroencefalograma.

imputabilidad. Capacidad general atribuible a un individuo para ser sujeto de sanciones por la comisión de un ilícito.

incapacidad. Persona carente de capacidad para celebrar contratos o ser sujeto de sanciones penales.

incisión. Del latín *incisio*, hendedura. Cortadura que se hace con un instrumento cortante.

-angular. Incisión compuesta en forma de ángulo.

-compuesta. Incisión formada por la reunión de dos o más incisiones simples.

-crucial. Incisión compuesta en forma de cruz.

-de Albarrán. Incisión para examinar el riñón que va desde el ángulo costomuscular hasta dos dedos por detrás y encima de la espina iliaca anterosuperior.

-de Alexander. Incisión paralela a la ingle en la región hipogástrica.

-de Auvray. Extensión de la incisión ordinaria para practicar la esplenectomía hacia arriba y posteriormente sobre las costillas a nivel del octavo espacio intercostal.

-de Bar. Incisión para la operación cesárea en la línea media del abdomen, por encima del ombligo.

-de Bardenheuer. Incisión lumbar vertical para descubrir el riñón, que sigue la prolongación de la línea axilar desde la undécima costilla hasta la cresta ilíaca y que a veces se combina con otra horizontal hacia atrás, desde el extremo inferior.

-**de Battle-Jalaguier-Kammerer.** Incisión para practicar laparotomía. // Incisión vertical de la piel y fascia, división de la hoja anterior de la vaina del recto y separación del músculo hacia adentro, división de la hoja posterior de dicha vaina juntamente con el tejido areolar subseroso y peritoneo.

-**de Bergmann.** Incisión para poner al descubierto el riñón, desde el borde externo de la masa lumbar, a nivel de la duodécima costilla, hasta la unión del tercio medio con el externo del ligamento de Poupart.

-**de Bevan.** Incisión vertical a lo largo del borde externo del músculo recto abdominal derecho, para las operaciones en la vesícula biliar.

-**de Bruns.** Incisión de Simon con resección subperióstica de la duodécima costilla.

-**de Clute.** Incisión para curar la hernia diafragmática, desde el ombligo hasta el borde costal izquierdo y de aquí a la fusión de los cartílagos de la sexta, séptima y octava costillas. Se corta transversalmente el músculo recto y lo necesario de los cartílagos.

-**de Cushing.** Incisión compuesta por una curva de convexidad superior en la parte inferior del occipucio, de una a otra apófisis mastoides, y por una recta a partir de la vértebra 107 hasta unirse por la primera, para la craneotomía subtentorial.

-**de Deaver.** Incisión para hacer la apendicectomía, practicada a través de la vaina del músculo recto abdominal derecho.

-**de Dührsen.** Incisiones cervicovaginales para realizar la cesárea vaginal.

-**de Edebohls.** Incisión lumbar vertical, desde la última costilla a la cresta ilíaca, siguiendo el borde externo de los músculos espinales.

-**de Fergusson.** Incisión para resecar el maxilar superior, sigue la línea de la unión de la nariz con la mejilla, y bordea el ala de la nariz hacia la línea media del labio superior, al cual divide.

-**de Fowler.** Incisión angular para realizar la laparotomía anterolateral.

-**de Fruchand.** Incisión paralela a la columna vertebral, desde la espina de la escápula para la toracoplastia.

-**de Jalaguier.** Incisión cutánea clásica en la apendicectomía, que sigue el borde extremo del recto mayor del abdomen, cuya vaina incide.

-**de Kehr.** Incisión vertical en bayoneta abdominal amplia, que se extiende desde el apéndice xifoides hasta cerca del pubis, pasando a la derecha del ombligo.

-**de Kocher.** Incisión de 10 cm de longitud a 4 cm por debajo del borde costal derecho y paralela a este borde.

-de Küstner. Incisión semilunar de concavidad hacia arriba, por encima de la sínfisis del pubis y paralela a uno de los pliegues de la pared abdominal.

-de Langenbeck. Incisión abdominal a través de la línea semilunar paralela a las fibras del músculo recto, para las operaciones de riñón, bazo, cola del páncreas, etcétera.

-de Lecène. Sección lumbar de convexidad anterior, desde la última costilla a la cresta iliaca.

-de MacArthur. Sección vertical a través del recto abdominal, con división transversal de la vaina posterior y el peritoneo.

-de MacBurney. Incisión abdominal, paralela a las fibras del oblicuo externo, a unos 3 cm de las espinas iliaca anterior y superior.

-de Mackenrodt. Incisión semilunar transversal del abdomen, cuyo punto más bajo dista del pubis 2 cm, aproximadamente.

-de Mason. Incisión que permite una exposición adecuada de cualquier parte del abdomen superior y respeta la inervación de los músculos rectos.

-de Meyer. Incisión abdominal inferior, curvada en uno de sus extremos, para la apendicitis complicada.

-de Michaelis. Incisión de episiotomía.

-de Morris. Incisión lumbar que comienza 1 cm por debajo de la última costilla, en el borde externo de los músculos espinales y sigue paralela a la costilla en la extensión conveniente.

-de Parker. Incisión sobre el área de matidez de un absceso apendicular, casi paralela al ligamento de Poupart.

-de Péan. Incisión a lo largo del borde externo del recto abdominal derecho.

-de Perthes. Sección vertical del recto abdominal derecho, desde el apéndice xifoides al ombligo y desde aquí, horizontalmente, hasta el borde costal, para las vías biliares.

-de Pfannenstiel. Incisión abdominal en curva, de convexidad hacia abajo, encima de la sínfisis del pubis, en la línea media.

-de Rintgen. Incisión de episiotomía.

-de Río-Branco. Incisión angular para descubrir las vías biliares en la línea xifoidoumbilical y de ésta al borde costal.

-de Robson. Incisión lumbar oblicua, desde la espina iliaca anterior y superior hasta la última costilla.

-de Simon. Incisión lumbar vertical que sigue el borde externo de la masa sacrolumbar, desde el borde costal a la cresta iliaca.

-de Suckard. Incisión paravaginal para hacer campo en la vía vaginal.

-de Wilde. Incisión detrás de la oreja para poner al descubierto la apófisis mastoides.

-exploradora o diagnóstica. Incisión con objeto diagnóstico.

-lumboiliaca de Visscher. Separación de las fibras musculares y tendinosas de los músculos de la región lumboiliaca, inmediatamente por encima del centro de la cresta iliaca; sin división transversal de las fibras musculares ni de los nervios.

-simple. Incisión única practicada en un solo tiempo y en la misma dirección.

inclinación. Dentro de los documentos cuestionados, se conoce a esta característica general de la escritura como la desviación de esta última en razón de la vertical, con base en la horizontal del renglón, pudiendo ser de tres formas: erguida, derecha o izquierda.

índice de peligrosidad. Corresponde a siete puntos que el Dr. Mora Izquierda estableció en Colombia para emitir un juicio relacionado con problemas psiquiátricos en personas que demuestran peligrosidad hacia la sociedad. Entre las características que sirven de base se encuentran los antecedentes individuales, personales y familiares, el grado de salud o de enfermedad mental, el delito cometido, el historial delictivo, el comportamiento durante la reclusión, el medio en que se desenvuelve y la prospección de lo que probablemente será la conducta futura del individuo. Calificó a la peligrosidad en tres grados, con base en los siete elementos señalados: baja peligrosidad social, moderada peligrosidad social y alta peligrosidad social.

indicio. La palabra proviene del latín *indicium*, que significa signo aparente y probable de que existe alguna cosa y a su vez es sinónimo de señal, muestra o indicación. Desde el punto de vista criminalístico, se entiende por indicio todo objeto, instrumento, huella, marca, rastro, señal o vestigio que se usa y se produce en un hecho posiblemente delictuoso, cuyo estudio permitirá establecer si existió o no, así como precisar la identidad del perpetrador y/o la víctima y la relación de éstos con el hecho.

indicios con características de clase. Aquellos en los cuales no importa el tipo de análisis que se aplique, pero pueden ser en clases o grupos generales.

indicios con características identificadoras. Aquellos que son susceptibles de una identificación plena en particular, siendo una fuente de producción específica que siempre permitirá con qué comprobar.

infanticidio. Del latín *infanticidium*; de *infans*, infante, niño, y *caedere*, matar. Asesinato de un niño o niña, especialmente recién nacido.

-por comisión. Infanticidio por acción directa, traumática u otra.

-por omisión. Infanticidio por descuido u omisión voluntaria de los cuidados indispensables a la vida del recién nacido.

informe. Aviso o noticia que se da de un negocio o persona. Exposición oral o escrita del estado de una cuestión.

inhumación. Del latín *in*, dentro, *humus*, tierra. Entierro de un cadáver.

inicio. En la rama de documentos cuestionados, esta característica general de la escritura es cualquier rasgo o trazo que antecede a una letra, pero no forma parte de ella. El inicio puede ser: acerado, romo, en forma de gancho, como arpón, como golpe de sable, curvo y recto.

injerto. Véase Trasplante.

interrupción. Suspensión de los rasgos de las letras.

introdelto. Formación de dos crestas contadas a partir del delta al núcleo y representadas por el número 1 para su clasificación.

instrumento. Del latín *instrumentum*, máquina. Herramienta que sirve para producir cierto trabajo. // Objeto empleado para la comisión de un delito o para repeler una agresión.

-contundente. Agente vulnerante que, debido a sus bordes romos, lesiona en forma irregular desgarrando los tejidos de la piel y demás planos subyacentes, por impacto o compresión. Generalmente, las heridas contusas se caracterizan en el exterior por desgarrar la piel en forma irregular, con una zona contusiva alrededor de los bordes y probable erosión dermoepidérmica en ellos. Los agentes contundentes más comunes son: puño cerrado, cabeza, codos, rodillas, piedra, palo, garrote, leño, varilla, solera, trozo de muelles, martillos, macana, machete sin filo, tubo, ladrillo, proyectil de arma de fuego, etc. De igual forma, los agentes contundentes se clasifican como sigue: *a) armas naturales*, puños, pies, uñas y dientes; *b) armas improvisadas*, piedras, bastones y palos, y *c) armas preparadas*, armas de fuego, mazas, bóxeres y rompecabezas.

-cortante. Agente vulnerante que, debido a sus características de hoja con filo, lesiona seccionando en sentido vertical, horizontal, oblicua o curvada, y formando bordes limpios en la piel y planos subyacentes, por presión o por deslizamiento. Entre los agentes cortantes más comunes están los cuchillos de uno o dos filos, navajas de afeitar, hojas de lata, fragmentos de cristal, etcétera.

-cortocontundente. Corresponden a este tipo de agente vulnerante las características de ser una hoja de acero o metal con bordes semirromos, que lesionan separando los tejidos de la piel y planos subyacentes de forma ligeramente irregular, por impacto, compresión o deslizamiento. Las lesiones producidas se ven generalmente en atropellamientos por vehículos automotores en movimiento. Entre los instrumentos más conocidos están los siguientes: machete, espada, sable, hacha, espadín, tramo de solera, muelle para automóvil, trozo de lámina, etcétera.

-punzocontundente. Agente vulnerante que, debido a sus características de cuerpo de acero con punta y bordes romos, lesiona separando los tejidos de la piel y de los planos subyacentes en forma irregular, por impacto o compresión. Generalmente, este instrumento produce heridas muy graves y profundas cuando se ejerce un potente impacto sobre algún cuerpo blando. Los instrumentos punzocontundentes más comunes son: barreta, solera con punta roma, zapapico y varilla con punta roma, entre otras.

-**punzocortante.** Agente vulnerante que, por sus características punzantes y cortantes, lesiona seccionando regularmente los tejidos de la piel y demás planos subyacentes. Sus lesiones se caracterizan por producir bordes limpios, con un borde angulado y otro redondo, con la presencia de una erosión dermoepidérmica en los bordes de la herida cuando el arma es de un filo, y de dos bordes angulados cuando la hoja es de dos filos. Instrumentos de este tipo son los siguientes: cuchillo de cocina, navaja de muelle, puñal, solera hechiza con punta y filo, cuchillo de carnicero, cuchillo cebollero, etcétera.

investigación. Serie de pasos que dan respuesta lógica a una pregunta específica.

-**del lugar de los hechos.** Aquella que permite obtener hallazgos que aporten datos, indicios y evidencias para la comprobación y esclarecimiento de un suceso que se reputa presumiblemente delictuoso. La investigación en criminalística se divide en cinco pasos fundamentales: protección del lugar de los hechos, observación del lugar, fijación del lugar, colección de indicios y suministro de indicios al laboratorio.

-**documental forense.** Disciplina encargada del reconocimiento e indagación de los medios de escritura, la investigación del papel, de productos impresos, cuños, sellos, escritos mecanografiados, manuscritos, etcétera.

involución. Lugar donde las personas comienzan a hacer las letras por la parte superior o en la parte media del lado derecho o del lado izquierdo. Algunas personas tienen matices intermedios.

irregularidad en los ejes de las letras. Desajuste de las rectas imaginarias alrededor de las cuales se supone que gira cada letra.

islote. Pequeño fragmento de cresta papilar que se encuentra independiente de las demás crestas, con un tamaño no mayor de cinco veces del espesor de una cresta papilar.

jadear. Respiración honda o con cierta dificultad.

judicial. Poder del Estado encargado de la impartición de justicia.

jeroglífico. Del griego *hieros*, sagrado, y *glophein*, grabar. Símbolos hechos por medio de dibujos.

juez. Funcionario público en el cual se delega la impartición de justicia, quien a través del *imperium* resuelve por medio de sentencias sobre hechos controvertidos que se presentan ante él. Se le conoce como principal promotor de la justicia.

jugada. Acción que tiene por finalidad un perjuicio contra alguien.

juicio. Etapa del proceso en la cual el juez establece su razonamiento y juzga sobre una cuestión sometida a su decisión. Corresponde al acto procesal en el que el juez repasa los hechos de una causa relacionada con las pruebas aportadas, que posteriormente se desahogarán para dictar sentencia.

-psicología, en un. Corresponde a una de las funciones más elevadas de la mente. Consiste en la capacidad para entender y apreciar el valor de las cosas que el individuo piensa y sobre las cuales razona. En los casos legales, se debe investigar si el individuo diferencia entre lo bueno y lo malo, lo correcto y lo incorrecto.

jurado. Grupo de individuos sorteados entre los moradores de una ciudad, quienes pueden o no conocer de derecho. Son llamados a integrar un tribunal para resolver casos delictivos mediante un veredicto, el cual puede ser de "culpable" o "no culpable". Con base en él el juez de derecho deberá emitir la sentencia.

jurisconsulto. Perito en derecho. // Persona que cuenta con el título, legalmente registrado, de licenciado en derecho o de abogado y que puede resolver consultas o emitir razonamientos y dictámenes en forma oral o escrita sobre materias de su conocimiento.

jurisdicción. Poder del Estado que lo faculta para dirimir controversias por medio de los jueces, quienes ejercen esta atribución aplicando las normas jurídicas propias para la controversia.

jurisperito. Véase JURISCONSULTO.

jurisprudencia. Interpretación de la ciencia del derecho y de la ley, realizada por la Suprema Corte de Justicia de la Nación para la aplicación a casos concretos. En México, la función primordial de la jurisprudencia no es la de crear derecho, sino dar su punto de vista sobre la ley. // Instrumento valioso para los jueces con el fin de resolver casos concretos sometidos a su jurisdicción.

jurista. Persona que dedica su vida al estudio de la ciencia del derecho. // Licenciado en derecho.

justicia. Debida aplicación de la ley sustantiva sobre controversias suscitadas entre particulares, o entre éstos con el Estado o, en casos extremos, entre Estados. Se debe dictar la resolución o sentencia con base en los argumentos más apegados a la verdad aportados por las partes integrantes de la controversia o litigio.

juzgado. Local, sede o despacho donde se encuentran las oficinas del órgano jurisdiccional.

juzgador. Persona a la que, de manera permanente o accidental, se le ha conferido la potestad de administrar justicia a nombre del Estado.

K. En la Roma antigua, por medio de la *Lex Romania*, a los calumniadores se les aplicaba la sanción de pena infamante mediante la marca en la frente, utilizando un hierro candente con la figura de la letra K, cuyo significado corresponde al de *kalumnia*.

kainotofobia. Situación que se llega a presentar en la edad avanzada, que consiste en el temor o miedo al progreso o al desarrollo y produce el infortunio y desquiciamiento de un individuo.

kakorrafiofobia. Problema psicológico por el cual las personas sienten temor al fracaso. Se puede presentar en casos extremos y asumir proporciones patológicas. Esta enfermedad lleva a manifestaciones tanto psíquicas como materiales que impiden el sano desarrollo de un individuo.

Kenyers, método de. Véase PLANIMETRÍA FORENSE.

keraunofobia. Del griego *keraunos*, rayo y *phobos*, miedo, terror. Miedo morboso a los truenos y relámpagos.

Ku-Klux-Klan. Asociación secreta que persigue objetivos mediante acciones delictuosas, desde inferir lesiones hasta la comisión de homicidios. Este tipo de asociación, de carácter racista, nacionalista y antiliberal, se presenta en Estados Unidos.

labio. Del latín tardío *labium*. Cada una de las dos partes carnosas, superior e inferior, que circunscriben el orificio de la boca. // Borde de una herida.

-**anterior y posterior.** Bordes del orificio del cuello uterino.

-**doble.** Crecimiento exagerado del tejido submucoso y membrana mucosa del labio a cada lado de la línea media.

-**hendido o leporino.** Fisura congénita, especialmente del labio superior. Puede ser simple o doble, según afecte uno o dos lados; complejo si la hendidura comprende porciones óseas; y unilateral, bilateral, mediano o comisural, según se presente en un lado, en ambos, en la línea media o en la comisura, respectivamente.

-**mandibular o maxilar.** Labios inferior y superior, respectivamente.

-**uretral.** Cada uno de los bordes laterales del meato urinario.

-**uterino.** Borde, anterior o posterior, del orificio externo del cuello uterino.

-**vestibular.** Porción superior del surco espiral.

laceración. Del latín, *laceratio*, desgarro. Herida por desgarro, especialmente la operación que consiste en desgarrar los tejidos subcutáneos con un tenótomo o aguja de catarata.

lacerar. Acción que tiene como propósito inferir un daño, ya sea lastimar, herir o golpear.

lacra. El término exacto corresponde a vicios o defectos físicos o morales. En México, se conoce con esta denominación al individuo pernicioso que ocasiona diversos males o daños a la colectividad.

lacrimógeno. Sustancia gaseosa utilizada por los cuerpos policiacos para inutilizar a delincuentes o para desmembrar o disolver grupos de alborotadores.

ladrón. Proviene de la palabra latina *latro* o *latronis*, cuyo significado corresponde al que roba.

Lancisi, signo de. Véase SIGNOS.

lapidación. Antigua pena aplicada a quienes infringían la ley, que consistía en dar muerte al sentenciado por medio de pedradas.

lapidar. Privar de la vida a un individuo por pedradas.

laringe. Del griego *lárygx*. Aparato musculocartilaginoso, central y simétrico, hueco, tapizado interiormente por una mucosa, situado en la parte anterior y superior del cuello, delante de la faringe, debajo de la base de la lengua y encima de la tráquea, con la que se continúa. // Órgano productor de la voz, formado por nueve cartílagos: tiroides, cricoides, epiglotis, dos aritenoides, dos de Santorini o cornículos y dos de Wrisberg cuneiformes, articulados entre sí, mantenidos por membranas fibrosas y ligamentos y movidos por músculos intrínsecos.

larva. Del latín *larva*, fantasma. Insecto que acaba de salir del huevo y no se ha transformado todavía; la larva tiene a menudo aspecto vermiforme y suele carecer de órganos de reproducción. // Parte de la fauna cadavérica.

lascivia. Inclinación a la satisfacción o al erotismo sexual.

lascivo. Individuo que tiene preferencia por los placeres sexuales.

lastimar. Inferir o causar heridas, daños o golpes.

latigazo. Lesión o golpe originado con un látigo.

latrocinio. Del latín *latrocinium*, hurto. Algunos tratadistas de la materia penal consideran al latrocinio como el homicidio cometido con un fin de lucro.

lavado de dinero. Conocido también como transformación de activos o blanqueo de capital, entre otros, consiste en la conducta por la cual se pretende "maquillar" o dar el carácter de lícito a beneficios, productos y ganancias de actividades ilícitas, por lo regular en delitos de carácter patrimonial, de "cuello blanco" o de peligrosidad, como narcotráfico, evasión fiscal, tráfico de armas, fraude, etc. Es de reciente creación en la legislación penal mexicana.

Lecha Marzo, signo de. Véase SIGNOS.

lesbianismo. Véase SAFISMO.

lesión. Del latín *laesionis*. Daño o alteración morbosa, orgánica o funcional, de los tejidos.

-central. Alteración de las neuronas superiores o motoras o sensitivas.

-de Councilman. Necrosis hialina de las células hepáticas en la fiebre amarilla.

-degenerativa. La que produce la abolición de las funciones de un órgano.

-difusa o diseminada. Lesión que se extiende ampliamente o que afecta varios puntos a la vez.

-fibrilar de Alzheimer. Impregnación argéntica del cerebro senil, además de las placas seniles, que descubre engrosamientos de las neuronas con trayectos ondulados o sinuosos a modo de cesta.

-**funcional.** Trastorno de las funciones de un órgano sin alteración perceptible de la estructura de aquél.

-**histológica.** Lesión microscópica.

-**inicial sifilítica.** Chancro duro.

-**Irritativa.** Lesión que estimula o excita las funciones de la parte u órgano donde se asienta.

-**local.** Lesión focal. // Lesión del sistema nervioso que da origen a síntomas locales distintos.

-**macroscópica o microscópica.** Lesión perceptible a simple vista o sólo con ayuda del microscopio, respectivamente.

-**mixta.** Lesión que afecta distintas partes o sistemas del cuerpo.

-**molecular.** Cambio sobrevenido en la composición inmediata de la sustancia de los elementos anatómicos, no perceptibles ni con auxilio del microscopio.

-**orgánica o estructural.** La que interesa la constitución de los tejidos u órganos.

-**parcial.** La que sólo afecta una parte de un órgano.

-**periférica.** Lesión de las terminaciones nerviosas o de las neuronas inferiores que relacionan la médula con los músculos o los órganos de los sentidos con las estaciones intermedias de la vía sensitiva.

-**primaria.** Chancro duro, primera lesión de la sífilis o foco de primera infección en la tuberculosis pulmonar infantil; tubérculo de Ghon.

-**secundaria.** La que sigue a la lesión primaria, como las lesiones cutáneas de la sífilis o las que se desarrollan en la fase posprimaria de la tuberculosis.

-**sistémica.** Lesión limitada a un sistema o a una serie de órganos de función común.

-**total.** La que afecta todo un órgano.

-**tóxica o traumática.** Lesión producida por un veneno o traumatismo, respectivamente.

-**trófica.** Trastorno o alteración de la nutrición.

-**vascular.** La que afecta los vasos sanguíneos.

lesionología forense. Véase TRAUMATOLOGÍA FORENSE.

Lesser, signo de. Véase SIGNOS.

letra. Del latín *litera*. Carácter gráfico que se emplea para formar palabras; toda letra tiene un inicio y un final. Algunas contienen segmentos de enlace, que pueden ser rectos, circulares, cóncavos, etcétera.

-**agrifada.** Aquel carácter encorvado o retorcido.

-**aldina.** La cursiva de imprenta.

-**bastarda.** La realizada con la mano.

-**bastardilla o itálica.** La de imprenta que imita la bastarda.

-**corrida.** Escritura hecha con facilidad y soltura.

-**grifa.** Aquella cuya figura está aflagelada.

-**mayúscula.** La de mayor tamaño que la minúscula y que se emplea como inicial de nombre propio, en principio de párrafo, etcétera.

-**menuda.** La pequeña y delgada.

-**minúscula.** La de menor tamaño y que se emplea constantemente en la escritura.

-**versalita.** La mayúscula de igual tamaño que la minúscula y perteneciente a una misma familia tipográfica.

levantamiento de cadáver. Se realiza esta acción después de que el Ministerio Público, el criminalista y el perito fotógrafo han fijado el escenario del hecho y han sido protegidos los indicios y evidencias asociativas, en cuyo caso el médico forense procede a realizar las actividades médico-legales en el lugar de los hechos. Entre éstas se halla la de confirmar la muerte del individuo o individuos, determinando si es reciente o no; registrar la posición, orientación y situación del cuerpo o cuerpos; describir las lesiones, observar las evidencias en posesión (cercanas y distantes) con el propósito de estudiar y determinar la correspondencia con los agentes de producción, y establecer la época de la muerte. Para lograr una mejor protección del cadáver o cadáveres, se deberán cubrir las manos con bolsas de papel. Al moverlo, se debe observar si existe algún indicio oculto en las ropas, en el cadáver o entre éstas y el soporte; de igual forma, se deben resguardar las manchas de sangre u otras sustancias en ropas o en superficie corporal.

ligaciones. Forma de unir o enlazar los grammas de una letra y manera de unir y enlazar las letras entre sí para formar sílabas.

líneas de clivaje de Filhos-Langer. Líneas que marcan la dirección de las fibras elásticas. En las caras laterales del cuello son oblicuas hacia abajo y adelante, en la espalda verticales, en el tórax paralelas a las costillas, en el abdomen oblicuas en las partes laterales y transversales en la parte anterior, y en los miembros siguen el eje mayor. Si la herida es paralela a dichas líneas, sus labios se adosan fácilmente, y si es transversal a ellas hay gran deformidad.

líquido amniótico. Líquido claro o amarillento que rodea al embrión o feto, contenido en el amnios y que con éste es empujado en el acto del parto, formando la bolsa de las aguas.

litopedio. Del latín *litos*, piedra y *paidon* niño. Cadáver de feto que queda dentro de la cavidad uterina.

lividences cadavéricas. Manchas de color rojo vino producidas por la sangre que se depositan en las partes inferiores del cadáver al sobrevenir la muerte. Aportan datos en virtud de que orientan acerca de la posición que pudo tener el cadáver al producirse la muerte.

livor mortis. Véase LIVIDECES CADAVÉRICAS.

llaga. Úlcera que se presenta en los tejidos orgánicos. // Estigma, huella. // Herida que no cierra fácilmente.

llamarada. De *llama*, y éste del latín *flamma*. Sensación de calor que se experimenta de manera súbita y transitoria en la cara, por congestión de ésta; aparece sobre todo en las mujeres durante la menopausia.

lleno. Del latín *plenus*. Dícese del pulso aumentado.

loquio. Del griego *locheia, lochos*, cuyo significado corresponde al de parto. El diagnóstico del loquio puede ser de gran valor probatorio en los casos de aborto o infanticidio. // Producto de secreción o exudación de la superficie interna y cruenta del útero después de haber ocurrido un parto, el cual dura hasta que el endometrio vuelve a reconstruirse. El loquio se divide en blanco, rojo y seroso.

LSD. Dietilamina del ácido lisérgico. // Alucinógeno obtenido sintéticamente después de encontrado en diversas plantas del género *Ipomea* y *Rivea*.

lucidez. Capacidad de atención, percepción y memoria, mediante la cual el individuo puede entablar relación con el mundo exterior e interior.

lugar. Del latín *locus*. Espacio ocupado por un cuerpo.

-de ejecución. Corresponde al sitio donde se produjo la muerte de la víctima.

-de los hechos. Sitio donde se ha cometido un hecho que puede ser considerado como delito.

-del hallazgo. Sitio donde se encuentran indicios de la comisión de un posible hecho delictuoso, cometido en otra parte.

luxación. Del latín *luxatio, onis*. Dislocación permanente de una parte, sobre todo de las superficies articulares de los huesos. Suele tomar el nombre del hueso más apartado del centro: luxación del húmero, del fémur; de la nueva región que ocupa el hueso luxado: infraglenoidea, infracotiloidea, o de la articulación luxada.

-accidental. Luxación traumática.

-antigua. Luxación en la que han ocurrido cambios inflamatorios.

-cerrada. La asociada con otros traumatismos graves, como en la que la articulación comunica con el exterior.

-congénita. Luxación espontánea o traumática ocurrida antes del nacimiento o durante él.

-de Kiemböck. Dislocación aislada del semilunar.

-del cristalino. Dislocación de este órgano después de la rotura traumática o espontánea de sus medios de fijeza.

-dentaria. Desplazamiento del diente de su posición correcta en el interior del alveolo.

-divergente. Luxación del codo, en la que el cúbito y el radio se dislocan separadamente.

-espontánea. Luxación patológica.

-habitual, iterativa. Luxación repetida que se produce cuando el paciente efectúa movimientos normales, sin ningún esfuerzo ni violencia.

-**incompleta.** Subluxación.

-**parcial.** Luxación incompleta.

-**patológica.** La que es resultado de la parálisis muscular o de una afección de las superficies articulares.

-**recidivante.** Luxación que se produce por esfuerzos o traumatismos que en circunstancias ordinarias no producirían algún efecto.

-**simple.** Luxación no complicada con herida u otro traumatismo.

-**traumática.** Luxación, la más común, debida a una violencia exterior.

maloclusión. Alineamiento irregular de los dientes, de los maxilares o de unos y otros.

malpraxis. Práctica inhábil o impropia.

manchas. Maculación de cualquier sustancia orgánica o inorgánica sobre superficies de cualquier clase.

-de Tardieu. Equimosis subpleurales que Tardieu había considerado como signo de certeza de la muerte por sofocación, pero que es posible encontrar en otras circunstancias.

-inorgánicas. Aquéllas producidas por químicos de origen mineral o industrial. Las principales son: permanganato de potasio en solución (manchas de color morado), de yodo en solución (manchas de color amarillo y café), de óxidos de hierro (manchas de color café), de sales de plata en solución (primero incoloras, después oscuras al exponerse a la luz), las de dicromato en solución (amarillas), algunos ácidos, etcétera.

-orgánicas. Las producidas por sustancias que provienen del organismo humano o de algún ser viviente. Las manchas de origen humano más importantes son: sangre, semen, de orina, obstétricas (líquido amniótico, vernix caseosa y meconio), de sudor, fecales, de saliva, de vómito, de mucosa nasal, de cerumen, etcétera.

manual de Clis. También conocido como documento fuente, compendio o archivo en el cual se recopila la descripción de aproximadamente 15 500 clases de armas de fuego registradas, incluidos marca, calibre, modelo, número de campos, dirección y anchura máxima y mínima de los campos y estrías, etcétera.

mariguana. Resina producida por el cáñamo *Cannabis sativa L., C. indica americana*. Se cultiva en clima cálido y terreno seco, se absorbe por medio de cigarrillos y en pipas, y se bebe en infusión. Estimula y deprime el sistema nervioso central.

Martin Etienne, signo de. Véase Signos.

mascarilla equimótica de Morestin. Cianosis cervicofacial. // Coloración rojo-cianótica difusa de la cara y cuello, con edema palpebral, equimosis conjuntival y labial, y a veces epistaxis, debida comúnmente a una presión prolongada del tórax y abdomen, que se produce en accidentes automovilísticos, derrumbamientos, etcétera.

materia fecal. Está constituida por partículas alimenticias, las cuales no se digieren o no son comestibles y, mezcladas con los productos de secreción de los órganos digestivos, son eliminadas hacia el exterior por el peristaltismo intestinal. La materia fecal es el único medio de diagnóstico exacto, ya que al ser examinadas las heces, presentan residuos proteicos, hidrocarbonados, lípidos y digestivos.

matricidio. Muerte dada a la madre por un descendiente.

masoquismo. Obtención de la excitación y del placer sexual mediante humillación y sumisión física al maltrato. El nombre deriva de Leopold von Sacher-Masoch, escritor austriaco que en su obra *La Venus de las pieles* relata cómo su esposa cubierta de finas pieles le flagelaba para excitarlo.

mecanismo de trauma. Energía mediante la cual un agente causa daño físico o mecánico, mediante la energía cinética. Puede ser de origen mecánico, eléctrico, térmico o químico.

meconio. Del griego *mekon*, adormidera. Conjunto de sustancias que, durante el transcurso de la gestación, se acumulan en el tubo intestinal del feto.

medicina forense. También llamada medicina legal, jurisprudencia médica, medicina jurídica o medicina del derecho, rama de la medicina que reúne todos los conocimientos médicos que coadyuvan a la administración de justicia. // Especialidad diagnóstica.

mesodelto. Formación de una o dos crestas de adentro o hacia afuera de la cresta principal del delta opuesto. Para su clasificación, se representa con el número 2.

método. Del griego *metá*, y hacia, y *odós*, camino. Modo de decir o hacer con orden una cosa. // Manera razonada de conducir el pensamiento con el fin de llegar a un resultado determinado, descubriendo la verdad.

-analógico. Modo de inferir semejanza o parecido de algunas características de fenómenos, hechos u objetos con otras, buscando la probabilidad de que las restantes particularidades de uno y otro sean también similares, aunque de lo anterior se pueden presentar otras semejanzas en mayor o menor grado de parecido, similitud y utilidad en las diversas investigaciones. De igual forma se utilizan tres premisas: primera, segunda y tercera. En criminalística, la utilización de este método es relativo a bibliografía, casuística y experiencias que no pueden repetirse, pero sirven de base para la investigación.

-científico deductivo. Camino primordial para aplicar principios universales descubiertos inductivamente a casos particulares que se estudian o investigan, mediante el reconocimiento de los fenómenos desconocidos a partir de tres puntos principales, que cumplen con el silogismo universal: premisa mayor, premisa menor y conclusiones.

-físico. Aquel que utiliza el falsario para borrar un documento, a través de instrumentos orgánicos, que disuelven la tinta y propiamente lavan el documento. De igual forma, para borrar escrituras hechas con tintas atómicas se emplean solventes de vehículos derivados del petróleo, aceites ligeros, resinas, barnices, etcétera.

-inductivo. Establecimiento de un juicio universal a través del razonamiento de fenómenos particulares, elevados a conocimientos generales, cumpliendo con los tres pasos fundamentales: observación, hipótesis y experimentación. Se considera este método una síntesis del método científico.

-mecánico. Aquella forma utilizada por un falsario para alterar la escritura de un documento que se desea modificar. Este método adelgaza el papel, destruyendo las fibras que lo conforman. Se puede reconocer fácilmente la borradura si se mira el documento a trasluz o si se agrega éter de petróleo o bencina. Para lograr la borradura de un documento se utilizan diversos instrumentos, como navajas, bisturíes, agujas, gomas, lijas, etcétera.

-químico. Aquél empleado por el falsario mediante reactivos que cambian la estructura molecular del colorante y originan que éste pierda su color. Entre las sustancias usadas están el cloro, el agua de cloro, el hipoclorito de sodio, la fosfina, el ácido clorhídrico diluido, entre otros.

metodología. Proviene del griego *méthodos*, que significa método, y *logos,* cuyo significado es tratado. Ciencia del método.

microscopio. Del griego *mikros*, pequeño, y *skopein*, observar. Instrumento óptico destinado a la observación de objetos próximos invisibles a simple vista.

-binocular. El que tiene dos oculares.

-compuesto. El que consta de varias lentes o sistemas de ellas, unas situadas cerca del objeto (objetivo) y otras cerca del ojo del observador (ocular). La primera da una imagen virtual ampliada de la real.

-corneal. El especialmente adaptado a una lámpara de hendidura para examinar la córnea *in vivo* e *in situ.*

-de comparación. Sirve para realizar comparaciones de dos objetos semejantes y se utiliza principalmente en balística, con lo cual se pueden determinar las características de igualdad y aportar estos datos a la autoridad requiriente.

-de contraste de fases. Artificio óptico que, por las modificaciones de la fase de luz, debidas a la diferencia del índice de refracción, permite distinguir las estructuras de objetos incoloros o poco contrastados.

-de rayos X. El que utiliza estos rayos.

-electrónico. Aquel que proporciona aumentos de 200 000 diámetros y en el cual un campo magnético permite enfocar los rayos catódicos (electrones) y obtener una imagen en la pantalla fluorescente o placa radiográfica.

-fluorescente. El provisto de filtros que permiten observar, con luz ultravioleta, sustancias teñidas con colorantes fluorescentes.

-simple. El formado por un solo sistema de lentes.

-ultra. El que sirve para observar objetos sumamente pequeños, mediante un sistema de condensador con iluminación lateral, que los hace aparecer como puntos brillantes sobre un fondo oscuro.

-ultrasónico. El que usa la reflexión de ondas ultrasónicas para observar detalles estructurales de lo observado.

-ultravioleta. El que utiliza estas ondas.

migración. Del latín *migratio*. Acción de pasar de un territorio o sitio a otro con el propósito de establecerse en él.

-anódica, catódica. Migración de partículas negativas hacia el polo positivo, o positivas hacia el negativo, respectivamente, en un campo eléctrico.

-de los coágulos. Embolia.

-del óvulo. Paso del óvulo, desde el ovario al útero, por la trompa de Falopio.

-del testículo. Descenso del testículo durante la vida fetal desde la región lumbar hasta la bolsa escrotal.

-forense. Arrastre de un proyectil por el torrente sanguíneo, al penetrar en la cavidad cardiaca o en un hueso, lo que conlleva a que dicho proyectil cambie de sitio al punto de penetración.

modelo. Reproducción de la boca o de parte de ella, hecha por vaciado de plástico, yeso u otro material sobre un molde o impresión.

modus operandi. Manera de obrar o técnica de operación utilizada por los delincuentes. Mediante método de Rogues algunas corporaciones policiacas llevan un registro del *modus operandi* de delincuentes.

moldeado. Procedimiento realizado por los peritos en criminalística para obtener huellas o marcas encontradas en el lugar de los hechos. La utilización del moldeado sirve para fijar huellas de pies calzados, de rodamiento de neumáticos, de otros objetos sobre superficies blandas o de fracturas sobre cuerpos sólidos.

momificación. Fenómeno contrario a la putrefacción. En aquélla, el cadáver se deseca y el proceso de putrefacción gaseosa no se produce. La deshidratación es rápida y extensa, los tejidos y vísceras se endurecen y disminuyen de volumen, y la piel adquiere un aspecto de cuero seco y rígido. Se produce principalmente en suelo arenoso seco y a temperatura alta.

Montalti, signo de. Véase SIGNOS.

mordedura. Herida contusa producida por los dientes, mediante el mecanismo de presión y tracción. Consiste en dos líneas curvas equimóticas que se observan por su concavidad, las cuales permiten en gran medida identificar al autor en casos de delitos sexuales, riñas, lesiones e incluso homicidios. La mordedura humana en las manos se considera de alto riesgo, debido a la infección que puede causar por los microorganismos de la boca sobre los huesos, tendones, articulaciones y otros tejidos blandos.

mordida. Relación de los dientes de los respectivos maxilares cuando éstos se encuentran cerrados. En estas condiciones, puede ocurrir que un maxilar quede delante del otro, o que los bordes incisales de los incisivos queden en contacto con sus antagonistas, a manera de pinzas.

Morestin, signo de. Véase SIGNOS.

moulage **facial.** Véase RECONSTRUCCIÓN ESCULTÓRICO FACIAL.

muerte. Del latín *mors, mortis*. Extinción, término de la vida.

-accidental. Muerte que llega antes del término natural de la vida, por enfermedad o violencia exterior.

-aparente. Estado pasajero en el que las funciones de respiración, circulación y del sistema nervioso sólo parecen abolidas. Se caracteriza por inmovilidad y ausencia aparente de circulación y de respiración. Se distinguen varias formas: asfíctica, sincopal y tóxica, la cual incluye la anestésica, la apoplética, por electrocución y la comatosa.

-cardiorrespiratoria. Cesación de la circulación y la respiración, con la consecuente detención del funcionamiento del sistema nervioso, tan lábil a la falta de oxígeno.

-cerebral. Cese irreversible de la función cerebral, comprobado por normas aceptadas de la práctica médica y en el cual la circulación y la respiración sólo pueden mantenerse por medios artificiales o extraordinarios.

-local. Muerte de una parte del cuerpo. // *Gangrena*.

-molecular. Caries. // Último término de un proceso catabólico.

-natural. La que resulta del debilitamiento progresivo de todas las funciones vitales:

-negra. Antigua denominación de una peste del siglo XII.

-por anafilaxia. Véase ANAFILAXIA.

-real. Cesación definitiva de la vida, cuyo signo principal es la putrefacción.

-senil. Muerte natural.

-somática. Muerte real.

-**súbita.** Del latín *subitus*, o repentina, del latín *repens*, repentino, súbito, inesperado, imprevisto. La que sobreviene repentinamente en estado de salud o enfermedad de un modo imprevisto.

-**tímica.** *Mors thymica.*

-**violenta.** Muerte accidental por violencia exterior, especialmente a mano airada.

narcótico. Del griego *narke*, sopor o entumecimiento. Sustancia que produce sopor o entumecimiento.

narcotráfico. Actividad de un grupo de individuos que mediante la distribución de drogas consideradas ilegales obtienen grandes ganancias en la mayoría de los casos.

necrófago legista. Instrumento utilizado para medir y verificar la temperatura de un cadáver.

necrofilia. Rara desviación que consiste en obtener placer sexual por medio de la cópula con cadáveres.

necropsia. Del griego *necros*, muerto, y *opsis*, observar. Examen anatómico de un cadáver. // *Autopsia, tanatopsia* y *necroscopia*. Por medio de ésta se pretende demostrar las causas que originaron la muerte. Su utilización es primordial cuando se desconocen las causas de muerte de un individuo, y coadyuva en la administración y procuración de justicia.

necrópolis. Se deriva de los vocablos *necros*, muerte, y *polis*, ciudad. Cementerio de gran extensión en el que abundan los monumentos fúnebres.

necrosis. Del griego *nékrosis*, mortificación. Mortificación de un tejido en general. // *Gangrena*. La parte necrosada se llama secuestro.

-aséptica. Aquella en la que no interviene una infección.

-colicuativa. La caracterizada por la consistencia líquida de los tejidos afectados.

-embólica. La consecutiva a un infarto anémico por embolia.

-húmeda. Aquella en la cual los tejidos afectados se tornan blandos y húmedos.

-superficial. La que afecta los estratos superficiales de una estructura.

neumastoscopia, signo de. Véase Signos.

neurosis o neurosia. Del griego *neûron*, nervio. Enfermedad nerviosa. // Término general para referirse a las alteraciones o afecciones funcionales del sistema nervioso sin lesión, actualmente demostrable y de menor gravedad que las psicosis, por lo que también se denomina *psiconeurosis*.

-compulsiva. Observación. // Impulso irresistible a practicar actos contrarios a la voluntad consciente.

-de ansiedad o de angustia. Psiconeurosis caracterizada por inestabilidad emocional, irritabilidad, aprensión y máxima sensación de fatiga. Se asocia a veces con fenómenos viscerales: taquicardia, náuseas, sofocación, temblor, sudación, y se debe a una represión incompleta de problemas emocionales.

-de asociación. Forma en la cual se presenta la tendencia a reproducir un estado morboso determinado con todos los fenómenos físicos y mentales, siempre que se sugiere una idea relativa a dicho estado.

-de fatiga. Neurastenia o psicastenia.

-de guerra. Término para referirse a un conjunto de fenómenos histéricos de conversión que se observan en soldados durante la guerra.

-de indemnización, de reivindicación. Neurosis traumática.

-gástrica. Trastornos digestivos debidos a perturbaciones nerviosas.

-intestinal. Trastornos intestinales debidos a alteraciones en la inervación o del control psíquico.

-profesional. Alteración nerviosa debida a la ocupación del paciente.

-sexual. Neurosis que afecta principalmente la función genital.

-traumática. Trastorno histérico producido por un accidente o traumatismo en personas aseguradas que esperan o exigen una indemnización. // Enfermedad de Erichsen.

Niles, signo de. Véase Signos.

ninfomanía. Aumento del deseo sexual o práctica del coito por parte de la mujer.

núcleo. Del latín *nucleus*, y de *nux*, nuez. Elemento central y primordial.

-anciforme. En documentoscopia, término para definir la formación por crestas en asa. Su aspecto general corresponde al de una serie de horquillas, cuya curvatura se abre a medida que se aleja del centro. Por lo común, cuenta con un solo delta, considerado dentro de las presillas.

-bianciforme. Se encuentra conformado por dos núcleos anciformes, uno de los cuales es de asas normales y el otro de asas vueltas. Comúnmente tiene un delta orientado a la derecha o a la izquierda, y se localiza principalmente en las presillas.

-**mixto.** Poco frecuente, se caracteriza por tener tres núcleos: uno vertical, otro anciforme y el último en gasas cerradas o tipo de figuras con semejanzas a las asas.

-**vertical.** Se integra por crestas de forma circular, en elipse, en espiral, etc. Cuando el espiral sigue la trayectoria a la derecha se le denomina *dextrógiro*, pero cuando es a la izquierda se le llama *sinestrógiro*. Vucetich nombró a esta clase de núcleos como *remolino*. Generalmente posee dos o tres deltas y se le encuentra en los tipos verticales.

oblicuidad. Inclinación de las líneas de las rectas respecto a otras con las que se comparan.

obnubilación. Del latín *obnubila, tum*, oscurecer. Visión borrosa. // Torpor mental.

observación. Acción o efecto de observar. // Estudio notable de una cosa.

-del lugar de los hechos. Inspección que se realiza después de haber protegido el lugar de los hechos. Se procederá en forma deliberada y reiterada a la observación del sitio, con el propósito de que se pueda captar toda la información indiciaria y asociativa al suceso o hecho que se investiga. La observación puede ser para lugares cerrados o abiertos.

occiso. Del latín *occisus*, que muere violentamente.

odontología forense. Disciplina encargada de estudiar, mediante los órganos dentarios, posibles alteraciones en la salud de un individuo o como medio de identificación de cadáveres, coadyuvando a forjar el criterio del juzgador.

ojiva. Del latín *augiva*. Figura formada por dos arcos cruzados en ángulo.

-balística. Denominación que se da al proyectil de una bala.

operación criminalística. Combinación de medidas para investigar situaciones complejas en diferentes escalas, incluida la utilización de medios no específicamente criminalísticos, para lograr objetivos más amplios a los obtenidos en la investigación criminal.

ortodoncista. Odontólogo especializado en la prevención y corrección de relaciones irregulares de dientes y maxilares.

ortografía. Área de la gramática que enseña a escribir correctamente las palabras. Se convierte en una parte de la documentoscopia, necesaria para revisar y estudiar documentos cuestionados.

ornamentación. Acción de adornar o hermosear las letras con determinados rasgos, provenientes del modo de pensar de la persona que escribe.

osamenta. Esqueleto. // Conjunto de huesos descarnados.

osteología. Del griego *osteón*, hueso, y *logos*, tratado. Parte de la anatomía que estudia los huesos.

osteometría. Del griego *osteón*, hueso, y *metron*, medida. Medición científica de los huesos o del esqueleto.

paidofilia. Véase Pedofilia.

palametoscopia. Disciplina que estudia con base en los dibujos de las palmas de la mano. Es de gran utilidad para el registro de delincuentes reincidentes y el estado de peligrosidad predelictiva o delictiva. También se ha aplicado en la identificación de recién nacidos.

paleografía. Disciplina que se encarga de estudiar la escritura antigua.

Palma Scala y Bello, signo de. Véase Signos.

Paltauz, mancha de. Véase Manchas.

papilas. Pequeñas protuberancias que nacen en la dermis y sobresalen completamente en la epidermis. Existen varias formas, como hemisféricas, cónicas o piramidales. Por milímetro cuadrado se calcula que son 36 papilas.

parafina, prueba de. Véase Pruebas.

paranoia. Del griego *para*, al lado, lateralmente, y *noús*, espíritu. Enfermedad mental de carácter grave y progresivo que se manifiesta, al principio, por la aparición de una idea fija, delirante y obsesiva. De ella parte todo un sistema complicado de ideas delirantes que atormentan al paciente, llegando incluso a impulsarlo al suicidio.

parricidio. Muerte dada al padre por un descendiente. Este delito se encontraba regulado en el artículo 323 de la legislación penal mexicana, pero actualmente se encuentra derogado.

patín. Rayita horizontal que se pone tanto arriba como abajo de los trazos principales de las letras, para adornarlas.

pederastia. Del griego *paiderantía*; de país, *paidós*, niño, y *erastés*, amante. Abuso deshonesto cometido con niños. Por extensión, coito *per anum* en general; sodomía.

pedofilia. Obtención de la excitación y del placer sexual por el contacto con un niño. Se trata por lo común de hombres homosexuales. El acto se limita, en general, a tocamientos impúdicos, masturbación y exhibicionismo. Rara vez se llega al coito. El paidofílico funciona en un nivel psicosexual inmaduro.

peligrosidad. Manifestación de una conducta que, sin ser delictiva, basta para establecer, en relación con una persona determinada, la presunción fundada de la existencia de una inclinación a contravenir las leyes, originando con esto un delito. La peligrosidad se divide en predelictiva y delictiva o posdelictiva.

-**delictiva.** También conocida como posdelictiva, corresponde a quien, habiendo delinquido, puede volver a hacerlo.

-**predelictiva.** Consideración hacia una persona que aún no ha cometido un delito.

pelmatoscopia. Su etimología proviene del griego *pelma*, planta del pie, y *skopein*, examinar. Rama de la criminalística que se apoya en la investigación de la dactiloscopia, mediante el estudio de las huellas de los pies, logrando la identificación de un individuo por medio de éstas.

pelo. Del latín *pilus*. Producción filiforme que aparece en diversos puntos de la piel del hombre y de los animales.

pena. Sanción impuesta a un individuo por contravenir las leyes penales, la cual se establece mediante la sentencia que emite el órgano jurisdiccional competente después de cumplir con las etapas procedimentales. En éstas, el Ministerio Público aporta datos para comprobar la probable responsabilidad, mientras que la defensoría interpone y aporta de igual forma elementos probatorios que indiquen que el indiciado no es responsable de la comisión del delito por el cual se le ha entablado un juicio penal o criminal.

-**capital.** La pena de muerte. En México se encuentra permitida constitucionalmente como sanción a la comisión de delitos graves, como traición a la patria, parricidio y al salteador de caminos, entre otros.

-**corporal.** Sanción que afecta de manera directa al individuo condenado por la comisión de un delito, cuyo castigo corresponde a la privación de la libertad o de la vida; en este último caso, sucede cuando la legislación penal lo contempla como sanción.

-**de muerte.** Véase PENA CAPITAL.

-**infamante.** Castigo penal que afecta primordialmente al honor y dignidad de la persona sobre la que recae.

-**pecuniaria.** Sanción que se hace efectiva sobre el patrimonio del condenado, representando una disminución en sus bienes.

penable. Conducta que, con fundamento en la legislación penal vigente de un territorio determinado, amerita un castigo penal.

penalidad. Sanción correspondiente por la contravención a una norma legal penal.

penalista. Persona especializada en materia penal.

pene. Del latín *penis*. Órgano masculino de la cópula, situado delante de la sínfisis del pubis y destinado a llevar el semen a la vagina o al cuello del útero. Está compuesto de raíz, cuerpo y extremo o glande, y constituido por dos cuerpos cavernosos y un cuerpo esponjoso debajo de éstos, que contiene la uretra.

-cautivo. Imposibilidad de retirar el pene de la vagina después del coito, a causa del espasmo de los músculos constrictores de la vagina.

-palmado. Pene incluido total o parcialmente en la piel del escroto.

penitenciaría. Establecimiento destinado a la ejecución de las sanciones de privación de libertad.

penología. Disciplina del derecho penal que tiene por objeto estudiar las penas y medidas de seguridad, así como los sistemas penitenciarios existentes.

perfil. Línea más delgada de las letras.

periodontista. Odontólogo especializado en el tratamiento de los tejidos que rodean al diente.

pericia. Deriva del latín *peritia*, cuyo significado es destreza, sabiduría, habilidad. Habilidad que se adquiere de la constante práctica y estudio en determinada ciencia o arte.

periodo. Del griego *periodos*. Espacio de tiempo después del cual se reproduce alguna cosa.

-anfibólico. Véase Anfibolia.

-colicuativo. Licuefacción de los tejidos blandos, especialmente en las partes bajas al comienzo y luego en las superiores.

-cromático. Mancha verdosa abdominal, seguida de la visualización de la red venosa superficial por su imbibición con la hemoglobina transformada (veteado venoso) y la coloración del resto del cuerpo, que oscila entre verde, rojiza y negruzca.

-de aumento o incremento. Fase de una enfermedad en la que los síntomas aumentan de intensidad.

-de reducción esquelética. Periodo en el cual comienza la pulverización de un cadáver: un cuerpo sepultado dentro de la bóveda de cemento comienza esta etapa entre los 5 y 7 años y suele observarse descalcificación de los huesos. En cadáveres inhumados en tierra o abandonados al aire libre, este periodo puede avanzar hasta la pulverización, fenómeno que ocurre entre los 5 y los 20 años.

-enfisematoso. Resultado de la acción de los gérmenes anaerobios productores de gas. Se forman vesículas oscuras en la piel y se hinchan el abdomen, la cara y el escroto, con protrusión de ojos, lengua y recto. La epidermis se desprende en palmas y plantas, en tanto que las uñas y pelos se caen.

-expulsivo. Tiempo del parto en que es expulsada la parte que se presenta.

-menstrual. Es el intervalo entre el primer día del flujo menstrual y el día que precede a la siguiente menstruación.

-preeruptivo. Fase comprendida entre los periodos de invasión y de erupción de una enfermedad exantemática.

-proliferativo. Fase de la mucosa uterina después del periodo de descanso, en la que se manifiesta hipertrofia de sus elementos en general.

perito. Proviene del latín *peritus*, que significa sabio, experimentado o hábil. El perito integra el conocimiento del juzgador o del Ministerio Público cuando se requiere la aportación de conocimientos especiales sobre una ciencia.

peritaje. Investigaciones que realiza un perito para dar a conocer la verdad de un hecho o acto, plasmadas en el dictamen pericial.

perversión. Excitación y placer sexual con la participación activa de más de dos personas simultáneamente. El acto generalmente es iniciado por un pervertido, a quien siguen los demás, que pueden no serlo. En ocasiones se mezcla con el voyeurismo y en otras con la violación en cuadrilla.

pesquisa. Indagación o retención que se hace de una cosa o persona para obtener información respecto a la realidad de ella o de sus circunstancias.

Petequias. Manchas violáceas que aparecen en la piel, ocasionadas por hemorragias minúsculas de la dermis. Véase también Manchas de Tardieu.

petrificación. También conocida como calcificación, puede ser primaria o secundaria. Se presenta con fetos de corta edad, muertos en la cavidad uterina y retenidos en ésta, dando lugar a los llamados litopedios; o en cadáveres de menores o de adultos cuyas partes blandas han desaparecido como consecuencia de una putrefacción rápida.

pictograma. Rasgos de la descripción de lo que se veía, anteriores al descubrimiento de la escritura.

planimetría forense. Croquis para describir lugares abiertos o la planimetría de Kenyeres (inventor de esta técnica) para lugares cerrados. Por medio de este dibujo forense se precisan fundamentalmente las distancias entre un indicio y otro, o entre un punto de referencia y los indicios, así como se presenta una vista general y completa del escenario. Al usar la planimetría de Kenyeres en lugares cerrados, es necesario tomar de manera exacta las medidas de las características generales y particulares del lugar de los hechos, para obtener un croquis claro y completo de las paredes, muros y techos abatidos.

plumbismo. Véase Saturnismo.

polidactilia. Anormalidad de la mano, que presenta más de cinco dedos, aunque sean rudimentarios. En los casos de toma de huellas dactilares, el dedo extra se imprime a un lado del casillero del dedo principal. Para su clasificación, se anota la abreviatura poli.

poliformismo. Diferentes maneras que tiene una misma persona para hacer diversas letras.

polígrafo. Del griego *polis*, mucho, y *graphein*, inscribir, registrar. Instrumento que registra simultáneamente el pulso arterial, el venoso, el latido de la punta del corazón y los movimientos respiratorios. Este aparato se utiliza para obtener datos, testimonios o confesiones sobre hechos determinados, principalmente relacionados con crímenes o delitos.

porcelana. Material dental que consiste principalmente en caolín y feldespato, usado para piezas de dentadura, coronas y puentes.

poro. Pequeño orificio que se encuentra en la parte superior de las crestas papilares o cerca de su vértice. Este orificio tiene formas diferentes: ovoidal, triangular, circular, etcétera.

poroscopia. Rama de la criminalística encargada del estudio de los poros de las manos, en virtud de los indicios que pueden encontrarse al imprimir los dedos, manos o plantas de los pies en un lugar determinado, por medio de las características de perennidad, inmutabilidad y diversidad de forma de las crestas papilares. Estas últimas se encuentran formadas por una serie de poros u orificios de las glándulas sudoríparas, las cuales dejan un gran número de huellas papilares en forma de puntos blancos que describen el trazado de las crestas. Complementa a la dactiloscopia cuando una huella digital, por sus dimensiones reducidas o fragmentarias, no se puede confrontar con los dactilogramas obtenidos para un estudio de identificación.

posición. Del latín *positio*. Postura.

-anatómica. Actitud erguida del cuerpo con los brazos al lado del tronco y las palmas de las manos dirigidas hacia adelante.

-antálica. Posición que adopta el enfermo para evitar el dolor.

-de boxeador. Posición final que conservan los cuerpos de las personas que pierden la vida en incendios, debido a la deshidratación y contracción muscular, que se originan por el calor o fuego directo que reciben con gran intensidad.

-de esgrima. Posición para hacer el examen radiológico del esófago, en la cual los rayos entran por la parte posteroizquierda y la pantalla se coloca en la parte anteroderecha. Entre la sombra del corazón, los grandes vasos y la columna vertebral se ve el espacio claro del mediastino posterior, por el que discurre el esófago.

-de función. Posición que debe darse a la mano en los casos de inmovilización prolongada a causa de un traumatismo: hiperextensión en la muñeca, flexión de 45° de los dedos en las articulaciones metacarpofalángicas e interfalángicas y oposición de las superficies flexoras del pulgar e índices.

-de litotomía. Posición dorsosacra.

-dorsal. Actitud echada con el cuerpo descansando sobre la espalda.

-dorsosacra. Posición dorsal con las piernas flexionadas sobre los muslos, éstos sobre el vientre y ambos miembros inferiores en abducción.

-en Z. Posición en la espondilosis rizomélica, en la cual el paciente, para conservar el equilibrio en la estación de pie, flexiona las rodillas, de modo que el tronco, los muslos y las piernas se disponen como los tres segmentos de una Z.

-forzada. Posición que adoptan los pacientes para librarse de algún síntoma molesto.

-genopectoral. El cuerpo se mantiene empinado; existen dos formas clásicas de posición del cuerpo: la primera con las regiones superiores apoyadas en el plano de soporte, fundamentalmente con la extremidad cefálica y la cara anterior del tórax, con las rodillas flexionadas de modo tal que los muslos y las piernas quedan hacia afuera. La segunda posición es casi en igual forma pero sin apoyarse completamente en la cara anterior del tórax; las rodillas quedan flexionadas y apoyadas con los muslos y piernas hacia adentro. En ambas posiciones, la cabeza puede quedar rotada a la derecha o a la izquierda y los miembros tanto inferiores como superiores colocados en cualquier forma y orientación.

-genucubital o genupectoral. Posición del paciente apoyado sobre las rodillas y codos o sobre las rodillas y pecho, respectivamente.

-ginecológica. Decúbito supino, piernas en flexión y muslos en abducción y flexión.

-nilótica. Posición de pie sobre una pierna, descansando la planta del otro pie en la rodilla contralateral; se llama así por ser la favorita de los altos hombres del Nilo.

-prona. Posición en decúbito abdominal.

-sedente. El cuerpo se mantiene sentado con el tórax en forma vertical o inclinado hacia adelante o, en su caso, flexionado a la derecha o izquierda, sosteniéndose la cabeza igualmente inclinada hacia adelante o para atrás, así como a la derecha o la izquierda. Esta posición se puede encontrar sobre una silla, cama, piso, banca, etc., y los miembros superiores o inferiores pueden estar orientados a determinado punto, en forma extendida o flexionada.

-supina. Posición dorsal.

post mortem. Locución latina. Después de la muerte.

precipitación. Del latín *praecipitatio -onis*. Fenómeno que consiste en la separación de un cuerpo sólido del líquido en que estaba contenido o disuelto y en su depósito o suspensión en forma de polvo, copos o cristales. // Formación de precipitinas.

-en medicina forense. Tipo de contusión que corresponde al desplome de un individuo, producida por la caída muy por debajo del plano de sustentación. Las lesiones cutáneas que se producen son mínimas, mientras que el esqueleto está multifragmentado y las vísceras, especialmente el hígado, el bazo, los pulmones y el cerebro, muy lacerados. La muerte en la precipitación es ocasionada por ruptura visceral o traumatismo craneoencefálico, o choque traumático, sobre todo en las lesiones del tronco cerebral.

presilla. Cordón que sirve de ojal.

-combinada con arco en tienda. Entre las ramas del núcleo se presenta una gasa con la parte superior orientada a la figura déltica y formando una concavidad, en la cual se observa un arco en tienda muy bien definido. Su punto nuclear o central se sitúa en la parte superior de la gasa.

-con arco en tienda. Cuando existen presillas ganchosas unidas a otros dibujos forman arcos piniformes, con lo cual dan la apariencia de un segundo delta, aunque este último es falso. Las crestas que forman este dibujo se orientan para un solo lado; consecuentemente, no se consideran como verticilo.

-con centro birrecto fundido. Existen horquillas que dentro de su centro tienen una o más crestas unidas a los semicírculos de las primeras. La dos crestas papilares ubicadas dentro de las ramas de la horquilla central del núcleo se denominan centro nuclear birrecto fundido. Su punto central se ubica en el punto de enlace de la cresta más distante del delta.

-con centro birrecto separado. El nombre de centro birrecto se deriva de la formación de las dos crestas ubicadas dentro de las ramas de la gasa central del núcleo, siendo necesario que dichas crestas se encuentren a la altura de los hombros de la gasa; si esto no sucede, se le denominará como recto. Las crestas se consideran unidas por medio de un semicírculo imaginario y su punto central se ubica en la cresta más alejada del delta.

-con centro de gasas enlazadas. Aquellas que dentro de la gasa central del núcleo presentan otra gasa, la cual en su trayectoria atraviesa el semicírculo de la primera. Los semicírculos en ambas gasas deben cruzarse para considerarse gasas enlazadas. El punto central se determina en el cruce de las dos gasas centrales.

-con centro de gasas gemelas. Gasas paralelas que se ubican en la horquilla central del núcleo y se encuentran ligeramente separadas del semicírculo de la horquilla, las gasas deberán tener forma redondeada en la parte superior. Su punto central deberá colocarse en el hombro más próximo de la gasa que se ubique más alejada del delta.

-con centro en horquilla. Se denomina así en virtud de que su cresta papilar se inicia en el extremo del dibujo y sigue una trayectoria orientada al centro, para después encurvarse sobre sí misma; además, describe un surco interior y en la porción superior una cabeza semicircular.

-con centro interrogante. Cresta que inicia en un extremo de la figura, y cuya trayectoria se va dividiendo hasta dar origen a una pequeña espiral entre las crestas envolventes del núcleo de la citada figura. En caso de que el espiral gire a la derecha, se llamará *interrogante dextrógiro*, y si su giro es a la izquierda se denominará *interrogante levógiro*. Su punto central se establece en el principio de la interrogación.

-**con centro nuclear irregular.** En muchas ocasiones, huellas dactilares presentan centros nucleares de forma irregular, por lo cual es difícil identificar la horquilla central del núcleo al estar enlazada por la parte superior a varias crestas. Su punto central se ubica en el punto de fusión a semejanza del recto fundido, sin considerar las crestas adheridas.

-**con centro pentarrecto.** Se presenta mediante cinco crestas dentro de las ramas de la horquilla. Su punto central se coloca en el extremo superior de la cresta central, simulando un recto.

-**con centro recto fundido.** Se considera de esta forma en virtud de que dentro de sus ramas de la horquilla se encuentra una cresta unida al semicírculo. La colocación del punto central se orienta al punto de fusión de la cresta papilar. También se conoce como centro recto adherido.

-**con centro recto separado.** Se considera de esta manera al centro recto que dentro de las ramas de la horquilla central del núcleo encuentran una cresta papilar separada de los hombros. En el extremo superior se ubica el punto central.

-**con centro tetrarrecto.** Se denomina de esta forma a las cuatro crestas ubicadas dentro de una horquilla central del núcleo, ligeramente separadas de los hombros de la citada horquilla. Su punto central se encuentra en el nivel del extremo superior de la cresta central, y da la apariencia de un recto.

-**con centro trirrecto.** Se conoce con este nombre a las tres crestas papilares ubicadas en las ramas de la horquilla central del núcleo, las cuales a la vez están separadas del semicírculo de la horquilla. El centro trirrecto se considera de esta forma cuando posee barras a la altura de los hombros. Su punto central, al ubicarse en el extremo superior de la cresta intermedia, da la apariencia de un ángulo recto.

-**con doble núcleo.** Aquellas que se encuentran formadas por un conjunto de crestas papilares, que se inician en un extremo de la figura y comienzan su trayectoria orientada al centro de dicha figura, se apartan y se recurvan sobre sí mismas, constituyendo un delta entre ambos núcleos, independientemente de la formación déltica ubicada en el extremo. Su punto central se sitúa de la misma forma que las horquillas, recto, etcétera.

-**con horquillas sobrepuestas.** Horquillas que en su cabeza dan origen a crestas, formando una horquilla sobrepuesta. El punto central se ubica sobre uno de los hombros de la horquilla sobrepuesta, la cual se encuentra más alejada del delta.

-**externa.** Se presenta con un solo delta. Las crestas papilares que forman su núcleo nacen a la derecha y su recorrido es a la izquierda para dar vuelta sobre sí mismas y regresar a su punto de partida.

-**ganchosa.** Cuando las presillas tienen la forma de gancho, en ocasiones presentan ambigüedad, toda vez que se observa un delta. Al ser estudiado cuidadosamente, si presenta una cresta separada del núcleo, pero convexidad orientada hacia el ángulo formado por las directrices basilar y marginal, se le considerará verticilo; pero si carece de lo anterior, se clasifica como presilla.

-**interna.** Se integra por los tres sistemas crestales: basilar, nuclear y marginal. Éste se presenta mediante un solo delta, en tanto que las crestas que forman su núcleo nacen al costado del dibujo y hacen un recorrido a la derecha, para luego dar vuelta sobre sí mismas y regresar al punto de partida.

-**interrogante.** En presencia de dos deltas (uno efectivo y otro de carácter dudoso por encontrarse cerca del núcleo), se debe realizar un estudio exhaustivo para definir si es un delta verdadero o falso. Si llegara a presentar una cresta aislada y convexa, orientada a la abertura del ángulo de las limitantes basilar o marginal, o por crestas resultantes de un sistema parcial, se considerará como un verticilo. En el caso de no reunir los requisitos de delta, se clasificará como presilla.

presión. Del latín *pressio*. Acción y efecto de apretar o comprimir.

-**en documentoscopia.** En el área de documentos cuestionados, la presión se mide por la calidad del rasgo.

proporción dimensional. Relación existente entre las mayúsculas y rebasantes con respecto a los elementos minúsculos.

protección del lugar de los hechos. Etapa principal en la investigación de la criminalística, ya que mediante esta acción se pretende conservar en forma intacta el escenario después de sucedido el hecho. Realizar una buena conservación del lugar de los hechos aportará gran cúmulo de indicios y evidencias verídicas y originales, lo que conllevará a obtener la del suceso.

proyección. Impulso originado por el golpe de un vehículo contra un cuerpo determinado, el cual puede ser hacia arriba y adelante, hacia arriba y atrás, o hacia arriba y a los costados del cuerpo de la víctima.

proyectil. Elemento generalmente metálico de forma variada. Las dimensiones y el peso corresponden a los de la fábrica que los produce y al arma destinada que lo disparará.

prueba. Acción y efecto de probar. Medios con los cuales se busca demostrar la existencia de un hecho material o de un acto jurídico, con el propósito de probar la verdad de una cosa o la realidad de un hecho. Existen varias clases de prueba: testimonial, pericial, documental, confesional, presuncional, etcétera.

-de Barberio. Formación de cristales de picrato de espermina por la acción del ácido pícrico. // Cristales amarillos en forma de conos adosados por su base. Sirve para indicar la presencia de semen.

-de Duquénois-Levine. Semejanza con la anterior, pero en su extracción se usaba cloroformo.

-de Duquénois. Consiste en disolver valina y acetaldehído en alcohol de 95°. Éste se vertía al extracto en éter de petróleo, y a todo se añadía ácido clorhídrico concentrado. Se establecía como resultado positivo de presencia de *cannabis*: verde mar, pizarra, seguido por índigo dentro de los 10 minutos, violeta en el término de media hora y violeta antes de la hora.

-de Florence. Se desarrolla mediante la formación de cristales de peryoduro de colina por la acción de un reactivo yodoyodurado. Cristal pardo caoba en forma de hoja de helecho o de punta de lanza, de tamaño variable.

-de la parafina. Se basaba en la identificación de nitrios y nitratos, productos de la deflagración de la pólvora. Esta prueba ha quedado en desuso, pues los reactivos utilizados reaccionan con derivados de nitratos que se encuentran en distintos productos de uso comercial frecuente, como los fertilizantes y los cosméticos, entre otros.

-de Lunge. Se utiliza para detectar derivados de la deflagración de la pólvora sobre objetos o cosas que hayan estado cerca o en contacto en los momentos de combustión y deflagración de la carga de pólvora.

-de Walker. El objetivo principal de esta prueba es identificar por medio de la ropa del sujeto, víctima de una lesión por disparo de arma de fuego, la presencia de nitritos en la circunferencia que rodea la entrada del proyectil, originado por la deflagración de la pólvora. En ocasiones se macula el objeto de tiro ante la cercanía con el objeto lesionado.

-del rodizonato de sodio. El fundamento de base para esta prueba es la reacción del plomo en combinación con el rodizonato de sodio. Al ser disparada, una bala es acompañada en su trayectoria por glóbulos de plomo de diferentes tamaños, rociando en mayor o menor proporción según la distancia, al objeto blanco. En casos de disparos a corta distancia, se puede detectar bario junto con plomo.

-espectrofotometría de absorción atómica sin flama. Prueba técnica que se utiliza con el fin de identificar bario, antimonio y plomo en las zonas de mayor concentración y maculación producidas por disparos de arma de fuego. Se basa en la absorción de luz a diferentes longitudes de onda.

-fosfatasa ácida. Conocida también como prueba de Walker, no se debe confundir con la utilizada en balística, pues ésta sólo puede aceptarse como indicio para argumentar la presencia de semen cuando la actividad de la enzima es extraordinariamente elevada. Cabe señalar que la fosfatasa ácida prostática puede persistir después de la muerte hasta por siete días en la vagina, 36 horas en la boca y 24 horas en el recto.

-**Harrison-Gilroy.** Prueba colorimétrica, basada en la identificación de bario, plomo y antimonio. El bario y el plomo se detectan por medio del rodizonato de sodio, y el antimonio mediante trifenil-arsonio.

-**pericial.** Informe presentado por uno o varios peritos expertos en una ciencia, disciplina, arte u oficio, cuyos conocimientos o métodos técnicos o científicos se aplican a un objeto o a una persona con el fin de obtener información acerca de la posible relación con un hecho.

psicogénesis delictiva. Estudios sobre los mecanismos psicológicos de la conducta antijurídica del delincuente en relación con ellos, la naturaleza psíquica del acto delictivo y el estado del individuo en el momento de delinquir. Los mecanismos son conscientes e inconscientes y pueden tener su origen en el pasado del individuo.

psicopatología forense. Rama encargada del estudio de las anormalidades mentales no psicóticas, en individuos con actitudes contrarias a las normas jurídicas establecidas.

psiquiatría forense. Rama de la medicina encargada de estudiar enfermedades mentales, problemas emocionales y trastornos de la personalidad, cuyos conocimientos físicos se aplican a la administración de justicia.

pulverización. Transformación final de todo organismo humano hasta convertirse en polvo fino.

punto. Del latín *punctum*. Señal diminuta.

-**característicos en dactiloscopia.** Aquellas particularidades de forma, longitud, fusión o adherencia, que se presentan en las crestas de un dactilograma. Estos caracteres sirven para confirmar o rechazar la identidad entre dos huellas semejantes.

-**de apoyo.** Aquel en que se descansó la pluma o lápiz sobre el papel al estar escribiendo.

-**de ataque.** Aquel en que se acometió y ejercitó la acción de escribir.

-**déltico.** Sitio de referencia convencional, útil para el trazo de una recta a otro punto denominado central o del corazón, con el propósito de efectuar la cuenta de las crestas en las presillas.

-**de referencia extrínsecos.** Características de referencia externa a la escritura de un individuo y que tienen relación directa con el soporte, como posición de la fecha y de la escritura, sangrías y márgenes, que a su vez pueden ser superiores o inferiores.

-**de retención.** Aquel en que se suspende el acto de escribir.

puntuación. Acción de poner, en la escritura, los signos ortográficos necesarios.

Puppe, signo de. Véase SIGNOS.

Puppe-Werkgartner, signo de. Véase SIGNOS.

putrefacción. Conjunto de cambios químicos que sufren los cadáveres, producidos por factores exógenos y endógenos que permiten la descomposición de los cuerpos sin signos vitales. Los primeros, por la temperatura y el medio donde se encuentra el cuerpo, en tanto que los segundos por los parásitos y bacterias intestinales y las ptomaínas, provenientes de la putrefacción proteínica. Se denota mediante coloración verdosa de la piel del abdomen, se extiende progresivamente a los tegumentos (tejidos o membranas) y adquiere un tinte más oscuro con el paso del tiempo.

queiloscopia. Técnica encargada del estudio, clasificación y registro de las configuraciones que presentan los labios. Las características difieren en cada individuo. Para su estudio, se divide en la investigación del grosor de los labios, la forma de las comisuras labiales y las surcosidades y huellas que se presentan en los labios.

quemadura. Lesión producida en los tejidos por el calor en sus diversas formas. Según la intensidad de sus lesiones, se divide en tres grados: eritema, flictena y escara.

química. Ciencia encargada de estudiar la composición interna y propiedades de los cuerpos y sus transformaciones.

-forense. Coadyuva en la administración de justicia a descifrar los tóxicos, químicos u otra clase de sustancias encontradas en un cuerpo humano o en los decomisos de sustancias ilícitas, así como de las manchas encontradas en el lugar de los hechos o del hallazgo. Aporta a la criminalística el empleo de la química analítica, bioquímica, química orgánica e inorgánica y microquímica, y en conjunto con la física se realizan los métodos de cromatografía en papel y de gases. Asimismo, se realizan técnicas electroquímicas, como la electrólisis, la electroforesis, la polarografía y la conductometría.

raciocinio. Capacidad para pensar y razonar acerca del mundo exterior. // Extensión de la conciencia, a la cual puede traslaparse.

raya. Señal larga y estrecha.

-albodactiloscópica. En dactiloscopia se conoce también como línea blanca. No es un surco interpapilar, por lo cual no se considera un punto característico.

recado. Mensaje enviado por escrito o de palabra, utilizando a otra persona para trasmitirlo.

-póstumo. En el área de criminalística, se entiende como los indicios escriturales, grafiados *ante mortem* por el individuo que se priva de la vida, con el fin de realizar declaraciones, solicitudes o despidos o para deslindar responsabilidades.

reconstrucción. Acción de reconstruir.

-de los hechos. En criminalística, método de investigación por el cual se busca el esclarecimiento y prevención de delitos, mediante la reproducción o simulación de un estado o mediante la repetición insinuada de un suceso relevante, por medio del cual se pretende descubrir hechos considerables para la verificación por medios probatorios establecidos.

-escultórico facial. Se realiza con base en el estudio de cráneos y mediante la reconstrucción de las fisonomías y facciones de la cabeza. Se efectúa por medio de la escultura o modelado de arcilla, plastilina, silicón u otro material, con el fin de identificar un cráneo descarnado, quemado, putrefacto o por acción de roedores. Intervienen en esta técnica el antropólogo, el médico forense y el escultor.

reducción esquelética. Destrucción y descomposición del cadáver, originadas por la actividad de la fauna y flora cadavérica, dicha reducción no se presenta en ocasiones, como en la momificación o petrificación del cadáver.

regicidio. Privación de la vida de un rey o reina.

responsabilidad profesional. Véase DEONTOLOGÍA.

retardo mental. Defecto en las funciones mentales superiores de un individuo, especialmente en el nivel de la inteligencia. Su origen puede ser congénito (deficiencia mental) o adquirido, derivado de las causas ambientales (retardo mental). El retardado mental padece un defecto en la capacidad para razonar, planear y construir, así como una pobreza en la información general.

retrato. Pintura, grabado o fotografía que representa la figura de una persona o de un animal.

-hablado. En criminalística, con él se elabora la filiación descriptiva o reseña histórica de la fisonomía de una persona, con el fin de reconstruir sus rasgos faciales o físicos por medio del dibujo para identificarla. También se confronta el retrato hablado con fotografías, para lograr un mayor número de rasgos descriptivos.

revólver. Pistola de recámara múltiple y un cilindro giratorio o tambor, con la cual pueden hacerse varios tiros sin volver a cargar.

Rh. Factor Rhesus. // Aglutinógeno encontrado en los glóbulos de monos de género *Rhesus*. Existe también normalmente en 85% de los individuos, quienes por esta causa se denominan Rh-positivos. La sangre de éstos, transfundida a los Rh-negativos (15%), provoca que el suero de estos últimos y la formación de anticuerpos, que en sucesivas transfusiones pueden aglutinar los eritrocitos del donador Rh-positivo.

riesgo. Peligro, contingencia de un daño. // Para el área de toxicología, espera de efectos indeseables derivados de la exposición de un agente tóxico. Se puede estimar en términos absolutos o relativos.

rigidez. Calidad de rígido.

-cadavérica. Endurecimiento y contractura muscular al ocurrir la muerte, en el que intervienen factores como la edad, la causa de la muerte, el ambiente, etcétera.

rigor mortis. Véase RIGIDEZ CADAVÉRICA.

RNA. Ácido ribonucleico.

rodizonato, prueba de. Véase PRUEBAS.

Rojas Merio, signo de. Véase SIGNOS.

rúbrica. Proviene del latín *rubrum*, que significa rojo. Rasgo que se coloca después de la firma. Para el área de documentos cuestionados, se le conoce como la antefirma o mitad de la firma.

ruga. Pliegue elevado de tejido blando en el cielo de la boca. // Eminencia ósea de la región anterior de la bóveda palatina, que por su carácter individual, perenne o inmutable, se ha aplicado a la identificación.

rugoscopia. Técnica de identificación estomatológica encargada del estudio, clasificación y registro de las arrugas localizadas en la región anterior del paladar duro. Se desarrollan a la mitad del ciclo de gestación intrauterino y desaparecen con la descomposición de los tejidos por la muerte. Las características son semejantes a las halladas con la dactiloscopia: diferentes, inmutables y perennes. No existen arrugas iguales entre los individuos.

ruptura. Del latín *ruptura*. Rotura, desgarro.

-de himen. Acción por penetración de un objeto dentro de la vagina, lo cual ocasiona el desprendimiento, desgarro o rotura de la membrana conocida como himen.

sadismo. Obtención de la excitación y del placer sexual infringiendo dolor o humillación a la pareja. Su nombre deriva del marqués de Sade, quien propugnó por esta conducta sexual en sus obras (como *Justine*).

safismo. Homosexualidad de la mujer. También se le conoce como tribadismo o lesbianismo.

saliva. Producto de secreción de las glándulas salivales. Es de gran importancia, ya que mediante su estudio se puede obtener la identidad del responsable de un delito, por lo común en ilícitos de carácter sexual.

salpingectomía. Ablación quirúrgica de una trompa de Falopio.

sangre. Del latín *sanguis, -inis*. Líquido rojo, espeso, circulante por el sistema vascular sanguíneo, formado por un plasma incoloro, líquido, compuesto de suero y fibrinógeno, y por elementos sólidos en suspensión: glóbulos rojos, eritrocitos o hematíes, glóbulos blancos o leucocitos de distintas clases y plaquetas. El peso total de la sangre equivale aproximadamente al 1/13 del peso del cuerpo. El 78% contiene agua y 22% elementos sólidos.

-arterial. La que después de aireada en los pulmones pasa a la aurícula y ventrículo izquierdos del corazón, desde el cual, por las arterias, reparte el oxígeno y elementos nutritivos a todo el organismo.

-blanca. Leucemia.

-caliente o fría. Denominación de la sangre en los animales de temperatura constante o variable, respectivamente.

-circulante. La que discurre por los vasos a impulsos del corazón.

-conservada. Sangre a la que se ha añadido un anticoagulante o sustancias conservadoras, con el fin de emplearla semanas después de su extracción.

-de bazo. Enfermedad de la sangre, propia del ganado lanar y vacuno, debida al desarrollo de la *Bacteridia carbuncosa*.

-de drago. Resina seca rojiza, astringente, de varios orígenes, especialmente de algunas palmeras, como la *Calamus rotang* y *C. draco*, y de árboles leguminosos, como el *Pterocarpus draco*.

-de reserva. Sangre remansada en órganos o zonas internos.

-desfibrinada. Sangre de la que se ha separado la fibrina por agitación con una varilla.

-genotipación. Determinación de la isoaglutinación de la sangre del donador y del receptor antes de la transfusión.

-laqueada. Sangre transparente y de color rojo claro debido a la destrucción de los glóbulos rojos y al paso de la hemoglobina al suero.

-negra. Sangre venosa.

-oculta. La que existe en tan pequeñas proporciones en el tubo digestivo y sus materias especialmente, que sólo puede descubrirse por reacciones químicas o por el examen microscópico o espectroscópico.

-roja. Sangre arterial.

-venosa. La que procede de los capilares de todos los órganos del cuerpo, de distinta composición según el órgano del que proviene, pues recoge los productos de secreción y de desgaste de toda la economía, y por las venas es llevada al corazón derecho y de aquí a los pulmones para su aireación y conversión en sangre arterial.

saponificación. Véase ADIPOCIRA.

satiriasis. Aumento del deseo sexual o práctica del coito en el hombre.

saturnismo. Intoxicación aguda o crónica por el plomo o sus compuestos. // *Plumbismo*.

sedante. Agente o medicamento que calma el dolor o la excitación. Recibe distintos calificativos: cardiaco, cerebral, genital, nervioso, respiratorio, vascular, etc., según su acción especial recaiga en uno u otro de los órganos o sistemas indicados. Entre los más importantes se cuentan el bromuro, el éter, el alcanfor, el opio, el acónito, el cloral, el cloroformo, etcétera.

semen. Del latín *semen*, semilla. Líquido blanquecino, espeso, secretado por los testículos y próstata, que contiene espermatozoides. // *Esperma*.

separación de las letras. Algunas personas escriben como lo hacen los ingenieros en sus planos, es decir, sin poner en contacto una letra con otra. Esto se debe al uso constante del *Leroy*, el cual es un aparato que ayuda a dibujar las letras.

serología. Disciplina encargada de estudiar los sueros.

seroso. Del latín *serum*, suero. Líquido secretado por ciertas membranas del cuerpo. Sustancia secretada por las ampollas, edemas e hidropesías.

sevicia. Deriva del vocablo latino *soevitia*, crueldad excesiva. Malos y crueles tratos aplicados a una persona, generalmente menor de edad, anciana o enferma mental.

signo. Del latín *signum*. Indicio o señal.

-de Benassi. Anillo de ahumamiento producido por el disparo de un arma de fuego, el cual se localiza en la circunferencia del orificio de entrada, en el plano óseo, y resiste la putrefacción del cuerpo.

-de Billard. Septación de los maxilares a cada lado de la línea media, especialmente el inferior, dando lugar a cuatro alveolos.

-de Bonnet. Cono truncado que tiene su base menor en el nivel del orificio de salida. Lo forma el bisel a expensas de tabla externa en la salida.

-de Bouchut. Comprobación de la ausencia de los latidos cardiacos durante cinco minutos sobre cada uno de los cuatro focos de auscultación precordiales. La auscultación cardiaca negativa durante 20 minutos es indicio del acaecimiento de la muerte.

-de Brouardel-Vibert-Descoust. Equimosis retrofaríngea.

-de Brouardel. Signo de asfixia por sumersión, conocido como hongo de espuma de Brouardel. Bola de espuma blanquecina en boca y orificios nasales formada por el batido de agua y aire.

-de Carrara. También conocido como mapamundi, se presenta cuando la intensidad del golpe es menor, aunque siempre de plano y da lugar a un hundimiento parcial y uniforme, con múltiples arcos y meridianos.

-de Chambert. Se manifiesta en las quemaduras de segundo grado o flictena. Consiste en vesículas intraepidérmicas con halo congestivo, que contienen un líquido albuminoso y amarillento.

-de Christinson. Se presenta en las quemaduras de primer grado o eritema y consiste en el enrojecimiento, tumefacción y dolor local.

-de Dotto. Ruptura de la vaina de mielina del neumogástrico.

-de fluoresceína. También conocido como signo de Icard, consiste en la inyección endovenosa de una solución de fluoresceína (5 gramos en 50 cc de agua destilada), la sustancia más colorante que se conoce. Si existe circulación, la piel y las mucosas se tornarán amarillas y los ojos verdes, como esmeraldas.

-de Hofmann o halo hemorrágico de pulmón. Conocido también como "boca de mina", tiene aspecto desgarrado, con bordes ennegrecidos, del orificio de entrada en disparos de contacto sobre la frente. Se produce cuando hay piel resistente unida con firmeza al hueso, como la región de la cabeza. En este caso, los gases que salen del cañón junto con el proyectil desgarran la piel en forma irregular, y el humo ennegrece este reborde irregular. No debe confundirse con un orificio de salida, del cual lo diferencia el ahumamiento, aparte de las características de la fractura de cráneo.

-de Lancisi. Se presenta cuando un individuo está muerto, ya que no se formará el halo inflamatorio alrededor de la quemadura. Se comprueba al aplicarse al tórax o a las plantas de los pies un instrumento caliente.

-**de Lecha Marzo.** También conocido como casa de negro, se presenta con los fenómenos de putrefacción y maceración, con casa hinchada y negruzca.

-**de Lesser.** Desgarro de la íntima, en las carótidas externa e interna.

-**de Montalti.** Signo que se presenta en las vías respiratorias, con humo y partículas de carbón que son indicio *ante mortem* de quemadura.

-**de Niles.** Sangre extravasada en las celdas mastoideas y en el oído medio, en el cual se trasparenta como zona azulada en la cara anterosuperior de la porción petrosa del hueso temporal, a nivel del tegmen timpani.

-**de Palma Scala y Bello.** Calcificación del segundo molar temporario.

-**de Puppe-Werkgartner.** Impresión de la boca de fuego sobre la piel. Se presenta como anillo excéntrico, de color rojo pálido, cuya forma y tamaño corresponden a la boca de fuego, y situado de manera concéntrica en el orificio propiamente dicho y en sus anillos constantes. En ocasiones puede incluir la impresión de la baguela o eje que sostiene el tambor y que en algunas armas está a la altura de la boca de fuego.

-**de Puppe.** También conocido como espasmo cadavérico, persistencia en el cadáver de la actitud o postura que tenía el cuerpo en el momento de la muerte.

-**de Sommer o de la mancha esclerótica.** Triángulo negro con base en la córnea en la parte externa del ojo y más tarde en la interna. Se debe al pigmento de la coroides que queda visible al volverse transparente la esclerótica por deshidratación.

-**de Stenon-Louis.** Hundimiento del globo ocular. // Pérdida de la transparencia de la córnea que se vuelve opaca. // Formación de arrugas en la córnea, depósito de polvo que le da un aspecto arenoso.

-**de Strassmann.** También conocido como sacabocados o fractura perforante, severidad del golpe ocasionado por un martillo que actúa de plano, dando origen a un verdadero disco de hueso que reproduce su forma y tamaño.

-**de Vargas Alvarado.** Hemorragia en las celdas del hueso etmoides, observadas como zonas azuladas en el compartimiento anterior de la base del cráneo, a cada lado de la apófisis *crista galli*.

-**de Vinokurova.** Se presenta por las rupturas producidas al pasar las llantas sobre la pared anterior del abdomen; suelen ser de dos a tres rupturas paralelas entre sí. Su convexidad señala la dirección del vehículo.

-**de Winslow.** Conocido también como ausencia del soplo nasal, se comprueba por la ausencia del empañamiento de un espejo o superficie brillante.

-de Ziemke. Signo que se presenta en las yugulares, en su túnica interna.

-de Zitkov. Comprobación de la hemorragia en el tejido conectivo papilar de la lengua, conocido como signo de mordedura *ante mortem*.

-del calcado de Bonnet. Se presenta cuando hay más de un plano de ropas. El ahumamiento calca sobre la piel los hilos que conforman a la tela, la cual corresponde a la ropa que viste la víctima.

-deshilachamiento crucial. Consiste en un desgarro en forma de cruz de la ropa, con ahumamiento de los bordes (Rojas y Nerio).

-escarapela de Simonin. Dos anillos concéntricos de humo alrededor de la perforación de entrada en la ropa superficial, separados por un anillo claro.

-neumastoscopia o del hidrógeno sulfurado. Determinación de la presencia de hidrógeno sulfurado, formado por la putrefacción incipiente y que sale por los orificios respiratorios.

silicón. Material empleado para tomar impresiones dentales precisas.

silicosis. Variedad de neumoconiosis debida a la inhalación de polvo de piedras, sílice, arena, etcétera.

simulación. Proceso psíquico caracterizado por la decisión consciente de reproducir trastornos patológicos valiéndose de la imitación, más o menos directa, con intención de engañar a alguien, manteniendo el engaño con ayuda de un esfuerzo continuado durante un tiempo prolongado.

sindactilia. Anormalidad de la mano que se presenta cuando los dedos están unidos y forman uno solo. En la toma de huellas dactilares, cada una de ellas se deberá imprimir en los casilleros correspondientes. Para su clasificación se utiliza la abreviatura sind.

síndrome. Del griego *syndromé*, concurso. Cuadro o conjunto sintomático. // Serie de síntomas y signos que existen a un tiempo y definen clínicamente un estado morboso determinado.

sineresis. Licencia poética que consiste en diptongar vocales pertenecientes a sílabas distintas.

sistema. Del griego *syn*, con, y *istêmi*, coloco. Conjunto de principios verdaderos o falsos reunidos entre sí, de modo que formen un cuerpo de doctrina.

-basilar. Se encuentra en la base de la yema del dedo y formado por un conjunto de crestas papilares transversales ligeramente inclinadas con respecto al pliegue de flexión de la tercera falange, que se van orientando al centro del dactilograma hasta aproximarse a los sistemas nuclear y marginal.

-crestales. Existen tres clases: basilar, marginal y nuclear, integrantes de los dactilogramas.

-de identificación. Mediante las técnicas y métodos aplicados por esta disciplina, la criminalística logra identificar inequívocamente a personas vivas o muertas, putrefactas, descarnadas o quemadas. Entre las disciplinas utilizadas en el sistema de identificación están la dactiloscopia, la reconstrucción facial, la antropometría, el retrato hablado y la odontología legal o forense.

-marginal. Se encuentra en la parte superior del dactilograma y formado por un grupo de crestas papilares que generalmente comienzan en el extremo del dedo, las cuales trazan curvas muy acentuadas de convexidad superior y van descendiendo por el costado opuesto al de inicio.

-nuclear. Situado en la porción central del dactilograma, entre los sistemas basilar y marginal, presenta gran variedad de dibujos papilares, cuyos contornos pueden ser ovoides, sinuosos, circulares, espirales, etcétera.

sobreposición de imágenes. Técnica utilizada para identificar cadáveres que han padecido gran destrucción del cuerpo o de los rasgos de identidad, se basa en sobreponer fotografías o retratos hablados con radiografías de la cabeza, principalmente.

sofocación. Tipo de muerte violenta que comprende todas las causas de asfixia traumática, y que obstaculiza las vías aéreas o impide la ventilación pulmonar. Se presenta en cinco mecanismos diferentes: por aire confinado, por compresión toracoabdominal, por enterramiento, por oclusión de los orificios respiratorios, y por introducción de cuerpos extraños.

Sommer, signo de. Véase SIGNOS.

soporte. Toda superficie que sirve de base para dejar plasmada la escritura.

Stenon-Louis, signo de. Véase SIGNOS.

Strassmann, signo de. Véase SIGNOS.

sudor. Producto de secreción de las glándulas sudoríparas. El grupal del sudor se puede obtener mediante un diagnóstico.

suicidio. Del latín *sui*, de sí mismo, y *caedere*, matar. Privación de la vida por uno mismo. // *Autohomicidio*.

sumersión. Acción y efecto de sumergir.

-completa. El cuerpo se encuentra sumergido dentro de grandes recipientes de líquido, como: albercas, cisternas, piletas o tinacos grandes, ríos, etcétera. Los cuerpos de los individuos que pierden la vida debido a asfixia por sumersión adquieren la forma o figura conocida como "posición de luchador" y se puede observar cuando todavía hay rigidez cadavérica. Dentro de los recipientes se aprecia el cuerpo boca arriba, debido a la ubicación de los pulmones que conservan algo de aire, comparándoseles con salvavidas.

-incompleta. Posición final del cuerpo de personas que pierden la vida por asfixia al sumergirse las regiones superiores corporales, fundamentalmente la cabeza, donde se ubican los orificios de aereación, dentro de recipientes medianos con líquidos (generalmente agua), como tinas de ropa, de baño, tinacos, pilas, cubetas, etc. Las partes inferiores, en este caso, quedan hacia afuera del recipiente.

suministro de indicios al laboratorio. Acciones tendentes a enviar y proporcionar al laboratorio de criminalística los indicios y evidencias que se han recolectado, tanto en el lugar de los hechos como de los cuerpos de la víctima y del victimario (en caso de encontrarse detenido), con el fin de procesar por medio de técnicas científicas con el propósito de obtener resultados identificativos y reconstructivos, para determinar su asociación o participación en un hecho determinado.

superposición de pabellones auriculares. Elabora y estudia montajes o superposiciones comparativas de la morfología o fórmula geométrica de pabellones auriculares sobreponiendo el pabellón problema contra el testigo, con el fin de identificar a personas vivas o muertas.

superposición radiofotográfica cráneo-cara. Mediante la elaboración y estudio de montajes o superposiciones de radiografías de cráneos problema con amplificaciones de fotografías testigo, se pretende establecer la probable correspondencia de características entre la tipología del cráneo y la fisonomía del retrato, e identificar a personas descarnadas, putrefactas o quemadas.

surco. Del latín *sulcus*. Señal que deja una cosa sobre otra.

-alveolingual. Espacio entre las encías y la lengua.

-basilar. Surco medio en la protuberancia anular, correspondiente a la arteria basilar.

-dactiloscopia. Los espacios que separan las crestas se llaman surcos interpapilares (honduras de la piel). Al realizar una impresión de las huellas en una superficie plana, quedan espacios en blanco en virtud de que las yemas no son lisas.

-dentario primitivo. Surco en el borde libre de los maxilares en el embrión.

-genital. Depresión en los genitales embrionarios, que da origen a la uretra.

-labial. Espacio o fondo de saco entre las encías y los labios.

-lateral. Canal de los huesos temporal y occipital, que aloja el seno lateral.

-medular. Surco largo en la línea dorsal del embrión, que se desarrolla en conducto vertebral.

-odontológico. Depresión lineal poco profunda sobre la superficie de un diente.

-posterolateral. Surco en el bulbo donde se hallan las raíces de los nervios espinal, accesorio, vago y glosofaríngeo.

-timpánico. Depresión en el anillo timpánico, en la que se inserta la membrana del tímpano.

-transversal. Depresión en el hueso parietal, en la que se aloja el seno lateral.

-vertebral. Cada uno de los canales de la columna vertebral a cada lado de las apófisis espinosas.

suspensión. Acción y efecto de suspender.

-completa. En criminalística se denomina así al cuerpo suspendido o atado al cuello de algún agente constrictor, el cual a la vez se encuentra sujeto o sostenido a un punto fijo, que puede ser una agarradera, una alcayata, un travesaño de madera o metal, etc. Al estar suspendido completamente, no toca el piso o punto de apoyo con ninguna región del cuerpo y, por lo regular, tanto los miembros inferiores como los superiores cuelgan.

-incompleta. El cuerpo se mantiene semisuspendido de algún agente constrictor, atado al cuello, como en suspensión completa, diferenciándose de ésta en que los miembros inferiores se encuentran flexionados debido al contacto generalmente con el piso o con otro soporte o mueble, no así los superiores.

táctica criminal. Conjunto de conocimientos y métodos de preparación y ejecución de medidas y operaciones criminalísticas que posibilitan su realización adecuada y en correspondencia con las disposiciones jurídicas y las circunstancias sociales e individuales concretas.

tanatoconservación. Véase EMBALSAMAMIENTO.

tanatocronología. Se encarga de establecer el tiempo de ocurrida la muerte. Se basa en fórmulas especiales, utilizando la fauna y flora cadavéricas.

tanatodiagnóstico. Se encarga del diagnóstico de muerte. Abarca las formas y signos de la muerte.

tanatolegislación. Representa el conjunto de normas legales que rigen la inhumación, exhumación, traslado, conservación e incineración de cadáveres.

tanatología. Del griego *thánatos*, muerte, y *logos*, tratado), área de la medicina legal o forense encargada de estudiar las modificaciones del organismo humano, a partir del momento de haberse producido la muerte.

tanatopsia. Véase AUTOPSIA O NECROPSIA.

tanatosemiología. Comprende la descripción de los diferentes signos y estados que caracterizan la evolución y transformación del cadáver.

Tardieu, manchas de. Véase MANCHAS.

tatuaje. Del francés *tatouage*. Introducción de colores permanentes en la piel por medio de punciones. Se ha empleado para hacer desaparecer la rubicundez de los nevos.

-balística. Está constituido por las partículas de pólvora no quemada o semiquemada, incrustada en la piel. También puede estar formado por la quemadura de la piel que originaban los disparos en armas y municiones antiguas. Se presenta como una zona de pequeños puntos grisáceos alrededor del orificio de entrada, que impresiona como un acné. Se produce cuando el disparo ha sido a una distancia mínima entre la piel y la boca de fuego del arma de 1 a 2 centímetros, y una distancia máxima que varía con las diferentes armas, pero que como término medio puede fijarse alrededor de 50 centímetros. En pólvoras modernas, sin humo o piroxiladas, el tatuaje es poco visible. La presencia de ropas entre el arma y la piel puede ocasionar que no se encuentre el tatuaje en la dermis.

-**de la córnea.** Procedimiento para disimular las manchas leucomatosas de la córnea por la introducción de tinta china en las capas superficiales por medio de una aguja.

técnicas. Conjunto de procedimientos de un arte o ciencia.

-**forenses de laboratorio.** Por medio de métodos y técnicas, las ciencias naturales como la química, la física y la biología colaboran con la criminalística, con el fin de realizar los análisis y manejo propio del instrumental científico, para lograr la identificación y comparar las evidencias materiales asociadas a hechos probablemente delictuosos.

temblequeos. Rasgos que, al escribir, deja una persona que tiembla mucho, es decir, que se agita con movimientos frecuentes o involuntarios.

tensión. Reacción de un cuerpo elástico ante las fuerzas que tienden a deformarlo.

-**de línea.** Para documentoscopia, con este término se describe la rigidez de las líneas al realizar una firma.

teoría neurovascular. Por medio de esta teoría se pretende establecer si hay lesiones traumáticas en un miembro inferior, que determinan un desorden en los vasos arteriales.

terapia. Del griego *therapeutikē*. Parte de la medicina que se ocupa del tratamiento de las enfermedades. // Ciencia y arte de curar o aliviar, que comprende el estudio de los medios propios para este fin.

testigo. Del latín *testis*. Persona que atestigua una cosa.

-**de buena fe.** Persona que identifica en forma directa o, en su caso, aporta elementos para lograr la identificación de una víctima o al presunto delincuente. Este tipo de testigo puede caer en imprecisiones, ya sea por errores de percepción sensorial, de deformación involuntaria en la reconstrucción de un hecho, cosa o persona, o de error de interpretación motivado por emociones, autosugestión, miedo o desinterés, ocasionando informes y opiniones distintos de los reales.

-**de escaso valor.** Afirmaciones rendidas por uno o varios individuos que, mediante los elementos y características aportados, revelan variaciones considerables para la identificación de personas o cosas.

-**falso.** Testimonio, declaración o identificación erróneo, derivado de cálculos imprecisos, designios tortuosos, por venganza, corrupción o temor a represalias. Los testimonios pueden estar en una fabulación consciente rodeada de histerias, morbosidad y, en algunos casos, personas mitómanas presentan un carácter demencial, parálisis general, demencia senil o el síndrome de Korsakoff.

tilde. Rasgo que se pone horizontalmente para hacer alguna letra o número.

tolerancia a la droga. Adaptación de un organismo a los efectos de una droga, lo que implica la necesidad de incrementar la dosis, con el propósito de seguir obteniendo resultados de igual magnitud.

torsión. Pequeñas vueltas o dobleces o encorvamientos, ya sea hacia la derecha o hacia la izquierda, que determinadas personas realizan en los finales de los rasgos de las letras. Tienen aspecto de pequeños ganchos y pueden estar en las partes superiores o inferiores de los rasgos citados.

tortura. Del latín *tortura*. Tormentos o vejaciones psicológicos, físicos o morales, mediante el uso de palabras o instrumentos diseñados o adaptados para inferir lesiones y obtener información o satisfacción.

tósigo. Véanse VENENO, TÓXICO.

toxicidad. Capacidad de toda sustancia para producir efectos tóxicos. No es una cualidad intrínseca o absoluta, sino relativa, debido a que el efecto depende de la dosis, del individuo y de las circunstancias.

tóxico. Sustancia química o física capaz de producir un efecto adverso a la salud. Todas las sustancias son potencialmente tóxicas, pues su acción depende de la dosis y las circunstancias individuales y ambientales.

toxicología. Del griego, *toxicon*, veneno, y *logos*, estudio o tratado. Ciencia que estudia las intoxicaciones o envenenamientos.

-forense. Disciplina que coadyuva a realizar las investigaciones de los órganos de procuración, impartición y prevención de la justicia.

toxificar. Acción de incrementar la toxicidad de una sustancia.

toxina. Véase VENENO SÉPTICO O PÚTRIDO.

transexualismo. Obsesión a cambiar de sexo. Aunque sea biológicamente hombre o mujer, el ser humano que la padece piensa, siente y actúa como del sexo opuesto. Con frecuencia viste ropas del sexo que pretende tener. Algunas personas han sido intervenidas en operaciones que los acercan a tal identidad.

tranquilizante. Clasificada entre las psicodrogas dualitóxicas, sustancia utilizada para aliviar la ansiedad, relajar el espasmo muscular o inhibir la tos.

trasplante. Aplicación de una parte de tejidos tomados de otra parte del cuerpo o de otro. // *Injerto*.

-autoplástico u homoplástico. Cambio de tejidos de diferentes partes del mismo individuo.

-heteroplástico. Trasplante entre individuos de la misma especie o especie afín.

-heterotópico u homotópico. Trasplante de un tejido en lugar distinto o en igual sitio, respectivamente, del que ocupaba en el donador.

-singenesioplástico. Trasplante entre individuos de la misma familia, de padre a hijo, de hermano a hermano.

-tendinoso. Inserción del tendón de un músculo sano en el tendón de un músculo paralizado.

trastorno mental transitorio. Estado de perturbación mental pasajero y curable, debido a causas ostensibles sobre una base patológica probada, cuya intensidad llega a producir anulación de libre albedrío, con su consiguiente repercusión en la imputabilidad. Se divide en dos formas de trastornos: no psicótico o incompleto y psicótico o completo.

travestismo. Forma de conseguir el placer sexual vistiendo ropas del sexo opuesto. Desviación que, en los tiempos actuales, ha quedado reservada al hombre, porque en la mujer se ha convertido en moda.

trauma. Del griego *traûma*, herida. // *Traumatismo.*

-psíquico. Choque o sentimiento emocional que deja una impresión duradera en el subsconsciente.

traumatismo. Término general que comprende todas las lesiones internas o externas causadas por una violencia exterior. // Estado del organismo afectado de una herida o contusión graves.

traumatología. Del griego *traûma-atos*, herida, y *logos*, tratado. Suma de conocimientos relativos a los traumatismos y sus efectos ocasionados en el ser humano.

-forense. Mediante la aplicación de sus métodos, técnicas y conocimientos, esta disciplina coadyuva a la administración de justicia.

trayecto. Camino que recorre un proyectil desde el orificio de entrada hasta el orificio de salida o donde queda alojado dentro del cuerpo u objeto penetrado.

trayectoria. Camino que recorre un proyectil desde el momento de su salida del instrumento que lo impulsa (como armas de fuego) hasta el momento de choque o penetración sobre un cuerpo u objeto diverso.

trazología. Disciplina encargada de estudiar las huellas morfológicas surgidas mecánicamente, como consecuencia de las huellas de instrumentos metálicos, de madera, de hule, etc., así como de las huellas de zapatos, neumáticos y orugas de máquinas, entre otras.

tumefacción. Hinchazón de un órgano.

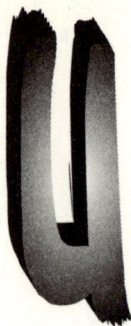

úlcera. Solución de continuidad con pérdida de sustancia debida a un proceso necrótico, de escasa o nula tendencia a la cicatrización.

-aguda de la vulva. Ulceración de rápido desarrollo en la vulva, de carácter no venéreo, en la que siempre se encuentra el *Bacillus crassus*.

-ambustiforme. Úlcera semejante a una excoriación.

-amputante. Aquella que rodea una parte y destruye los tejidos hasta el hueso.

-ateromatosa. Pérdida de sustancia en el endotelio de una arteria o del corazón, producida por el desprendimiento de una placa de ateroma.

-atónica. Úlcera crónica sin tendencia alguna a la formación de granulaciones.

-autóctona. Chancro.

-blanda. Chancro blando.

-callosa. Úlcera de bordes elevados y fibrosos endurecidos.

-cancerosa. Cáncer ulcerado.

-constitucional. Úlcera que es la expresión local de un estado morboso generalizado.

-corrosiva. Úlcera en la que es rápido el proceso de destrucción.

-crateriforme. Epitelioma cónico de la cara, de desarrollo rápido, en cuyo vértice hay una depresión ulcerosa.

-crónica. Úlcera generalmente indolente, de bordes callosos, sin tejido de granulación en el fondo.

-de Adén. Variedad del botón de Alepo o furúnculo oriental.

-de Allingham. Fisura del ano.

-de Annam. Úlcera endémica en los países tropicales de Asia y África que afecta principalmente las piernas, similar a la úlcera tropical.

-de Bahía o de Bauru. *Leishmaniasis americana*.

-de Bouveret. Ulceración de las fauces, observada en la fiebre tifoidea al lado de las amígdalas.

-**de Clarke.** Úlcera corrosiva del cuello del útero.

-**de Cochinchina.** Úlcera de Annam.

-**de Crombie.** Úlcera de las encías en la esprue.

-**de Cruveilhier.** Úlcera simple del estómago.

-**de Curling.** Úlcera duodenal consecutiva a una quemadura extensa de la piel.

-**de Delhi.** Furúnculo oriental.

-**de Dieulafoy.** Úlcera gástrica aguda con erosión de la mucosa.

-**de Gabón.** Variedad de úlcera tropical que se observa en el Congo.

-**de Ghe-Ham o de Guayana.** Furúnculo oriental.

-**de hipopión.** Úlcera corneal acompañada de hipopión.

-**de Hunner.** Úlcera del techo de la vejiga, con miosis e infiltración celular.

-**de Jacob.** *Ulcus rodens*, especialmente en el párpado.

-**de Jeddah.** Furúnculo oriental.

-**de Kandahar o Kenieba.** Furúnculo oriental.

-**de Kocher.** Ulceración intestinal producida en el curso del íleo o en un intestino muy distendido.

-**de Lahore, de Madagascar o de Malabar.** Úlcera tropical.

-**de Lipschüptz.** Úlcera aguda de la vulva.

-**de los árabes.** Úlcera de Annam.

-**de los chicleros.** *Leishmaniasis cutánea*.

-**de los segadores.** Úlcera de hipopión.

-**de Marjolin.** Epitelioma espinocelular desarrollado por degeneración de una úlcera de antigua quemadura.

-**de Meleney.** Estado raro que puede observarse en cualquier herida, caracterizado por la extensión de la infección debajo de la piel y aparición de úlceras y fístulas secundarias, debido a un estreptococo hemolítico.

-**de Mooren.** Úlcera corrosiva de la córnea.

-**de Mozambique.** Úlcera tropical.

-**de Naga.** Úlcera obstinadamente crónica que aparece en los obreros de las plantaciones de té en Annam (India).

-**de Natal.** Furúnculo oriental.

-**de Nisbet.** Ulceración de los bubones linfáticos dorsales del pene.

-**de Oriente.** Furúnculo oriental.

-**de Parrot.** Ulceraciones de la boca en el muguet.

-**de Pendinski, de Pendjeh.** Furúnculo oriental.

-**de Plaut.** Angina de Vincent.

-**de Rokitansky.** Úlcera del estómago.

-**de Saemisch.** Úlcera serpiginosa de la córnea, producida casi siempre por el neumococo inoculado con motivo de un ligero traumatismo de la córnea en afección previa del saco lagrimal.

-**de Saigón.** Úlcera de Annam.

-**de Tashkend.** Úlcera costrosa en la enfermedad de los sartos (pueblo del Asia Central). // Afección endémica en Tashkend, probablemente una variedad de furúnculo oriental.

-**de Zambesia.** Úlcera endémica de Zambesia, producida por la larva de un díptero que excava galerías en el tejido subcutáneo.

-**del desierto.** Enfermedad de Barcoo.

-**del estómago.** Úlcera péptica de la mucosa del estómago que suele ser redonda, perforante. // Afección crónica, frecuente en los jóvenes, cuyos síntomas dominantes son: dolor espontáneo o provocado en la región epigástrica, vómitos alimentarios o mucosos, hematemesis y enflaquecimiento.

-**dendriforme.** Úlcera de la córnea en distintas direcciones.

-**diftérica.** La cubierta con un exudado seudomembranoso o membrana diftérica.

-**duodenal.** Úlcera péptica en el duodeno, de ordinario en su pared anterior, cerca del píloro.

-**en cresta de gallo.** Úlcera con neoformaciones condilomatosas.

-**endémica.** Úlcera que predomina en ciertas regiones, como el botón oriental.

-**enofagedénica.** Chancro blando que, por abusos alcohólicos, toma aspecto fagedénico.

-**epitelial.** Variedad de úlcera cancerosa, sin tumor, de origen dérmico.

-**erética.** Úlcera irritable.

-**estercorácea.** Úlcera fistulosa por la que salen excrementos. // Úlcera producida por la compresión de heces concretas.

-**estómica.** Úlcera yeyunal secundaria a una anastomosis gastroyeyunal.

-**exuberante.** Úlcera fungosa.

-**fagedénica.** La que se extiende rápidamente, destruyendo tegumentos, caracterizada por la presencia de partículas esfaceladas en el derrame o pus.

-**fistulosa.** Extremo superficial ulcerado de una fístula.

-**fisurada.** Úlcera profunda, estrecha, más o menos lineal.

-**flemonosa.** Úlcera dolorosa con bordes inflamados edematosos y derrame purulento.

-**folicular.** Pequeña úlcera en una membrana mucosa, cuyo origen está en un folículo linfático.

-**fungosa.** Úlcera cuyo fondo se halla cubierto de granulaciones fungosas que rebasan el nivel de la piel.

-**gástrica.** Úlcera del estómago.

-**gomosa.** Goma ulcerado.

-**hemorrágica.** Úlcera de la que fluye sangre a menudo.

-**indolente.** Úlcera callosa.

-**irritable.** Úlcera de fondo y partes próximas inflamadas y dolorosas.

-**lupoidea.** Ulceración de la piel, semejante al lupus.

- **maligna.** Úlcera fagedénica. // Lupus. // *Úlcera cancerosa.*
- **marginal.** Úlcera estómica.
- **menstrual.** Úlcera asiento de hemorragias supletorias de la menstruación.
- **micetoide.** Úlcera tropical superficial, única o múltiple, crónica, autoinoculable, de asiento ordinario en las piernas, debida al *Micrococcus mycetoides.* No debe confundirse con la úlcera tropical.
- **papilar.** Papiloma.
- **péptica.** Úlcera de la membrana mucosa del estómago o del duodeno.
- **perambulante.** Úlcera fagedénica.
- **perforante.** La que profundiza a través de todo el grosor de una parte u órgano.
- **por decúbito.** La crónica, producida por la compresión de las regiones cutáneas prominentes que han perdido su panículo adiposo en enfermedades depauperantes.
- **pútrida.** Gangrena o podredumbre de los hospitales.
- **recidivante.** Úlcera gástrica.
- **redonda.** Úlcera del estómago.
- **serpiginosa.** Úlcera más o menos lineal que se extiende por un extremo y cicatriza por el otro.
- **sifilítica.** Chancro sifilítico.
- **simple adenógena.** Enfermedad de Nicolas-Favre.
- **simple.** Variedad no debida a origen séptico ni a una enfermedad general.
- **sintomática.** Úlcera expresión de un estado general.
- **siriaca.** Difteria. Furúnculo oriental.
- **sublingual.** Ulceración del frenillo de la lengua producida por la irritación que causan los incisivos inferiores, observada algunas veces en la coqueluche (tos ferina).
- **trofoneurótica.** La debida a un trastorno nervioso de origen central.
- **tropical.** Término impreciso que comprende muchas denominaciones de lugar: Aden, Malabar, Cochinchina, Mozambique, Annam, etc. Úlcera de causa desconocida, no debida a la sífilis, pian o *Leishmaniasis,* en la que se encuentran distintos microorganismos, pero en especial el *Corynebacterium diphteriae;* prevalente en las regiones tropicales, de carácter agudo, crónico, a veces fagedénico, que asienta de ordinario en los miembros inferiores. Se da también este nombre al furúnculo oriental o *Leishmaniasis cutánea.*
- **tuberculosa.** La debida al bacilo de Koch.
- **varicosa.** Úlcera crónica, complicación de las várices.
- **venérea.** Chancro, especialmente el blando.
- **veneroide o de Wlander.** Úlcera alrededor de la vulva, de origen no venéreo, semejante a chancros blandos.
- **yeyunal.** Úlcera que se desarrolla en el yeyuno después de una gastroenterostomía.
- **yuxtapilórica.** Úlcera gástrica que ocupa las proximidades del píloro.

dura. Chancro duro.

ultraje. Vejación, injuria o desprecio a una persona o grupo de personas, siendo de obra o palabra. Mediante la contumelia se comete el delito de injuria.

ultraje al pudor. Delitos contra la honestidad de una persona, mediante varias acciones, como la corrupción, la prostitución, la publicación de libros obscenos, etcétera.

uniformidad o desuniformidad en las alturas. Igualdad o semejanza que se presenta en las elevaciones que tienen las letras sobre la base de éstas.

uranismo. Palabra utilizada para designar a la homosexualidad, especialmente en el hombre.

uso de una droga. Introducción de una droga a un organismo vivo, mediante prescripción adecuada y de conformidad con la práctica médica.

usurpación. Delito en contra de la propiedad, consistente en el despojo, la perturbación, molestia, alteración o aniquilamiento de derechos reales constituidos sobre un bien inmueble.

útil inscriptor. Instrumento adecuado para escribir o trazar líneas o letras que indican o informan algo.

uxoricidio. Del latín *uxor*, esposa, y *caedere*, matar. Consiste en dar muerte a la esposa por su marido; constituye una figura del homicidio.

vagina. Del latín *vagina*, vaina. Conducto membranoso, órgano femenino de la copulación, extendido desde la vulva al útero, cuyo cuello abraza, situado en la pelvis menor entre la vejiga y el recto. La membrana himen, que cierra más o menos el extremo anterior en estado virginal, divide la vagina en dos porciones: posterior o vagina propiamente dicha y anterior o vestíbulo.

-masculina. Utrículo prostático.

-mucosa. Vaina sinovial.

-tabicada. Anomalía congénita en la que un tabique longitudinal divide más o menos completamente la vagina en dos mitades.

vaginismo. Espasmo involuntario de la vagina que aprisiona o intercepta al pene. Deriva de una causa psíquica y constituye un síntoma neurótico de conversión, con el cual la mujer evita el coito.

Vargas Alvarado, signo de. Véase Signos.

vasectomía. Del latín *vas*, vaso, y del griego *ektomé*, escisión. Separación quirúrgica de un vaso, especialmente del *vas deferens* o conducto deferente.

velocidad. En el área de documentos cuestionados es útil para el estudio de una firma. Corresponde a la rapidez con la que escribe una persona.

vello. Del latín *villus*. Pelo corto y suave el cual nace en algunas partes del cuerpo humano; por ejemplo, genitales.

vena. Del latín *vena*. Canal por el que regresa la sangre desde los miembros y los pulmones hacia el corazón.

vendetta. Palabra italiana cuyo significado es venganza. Enemistad ocasionada por una ofensa, la cual se trasmite a los parientes de la víctima.

veneno. Del latín *venenum*. Término general para designar las sustancias que, aplicadas o introducidas en pequeña cantidad en el organismo, producen en éste alteraciones graves o la muerte. // *Tóxico*. // *Tósigo*.

-**acre, corrosivo o irritante.** El que produce irritación o inflamación, como los ácidos minerales, cáusticos, sales, cantáridas, fósforo, etcétera.

-**cáustico.** Veneno irritante que cauteriza las primeras vías de contacto.

-**convulsionante.** El que produce convulsiones, como la estricnina.

-**de las serpientes.** Ponzoña.

-**endógeno.** Veneno formado en el organismo, productor de autointoxicaciones.

-**estupefaciente.** El que produce estupor, como la hiosciamina.

-**exógeno.** El procedente del exterior del organismo.

-**hemotrópico.** Veneno que tiene una afinidad especial por los glóbulos rojos de la sangre.

-**hipostenizante o sedante.** El que disminuye directamente las facultades vitales, como el ácido cianhídrico, el sulfuro de hidrógeno, etcétera.

-**microbiano.** Toxina.

-**muscular.** El que dificulta o impide la función de los músculos. Albúmina tóxica formada durante la acción muscular.

-**narcótico.** El que origina sueño y estupor sin provocar lesiones en el aparato digestivo, como el opio, el beleño, etcétera.

-**narticoacre.** Veneno con propiedades irritantes o cáusticas y perturbadoras del sistema nervioso, como la digital, la belladona, la cicuta, etcétera.

-**orgánico.** El procedente de los reinos animal o vegetal.

-**séptico o pútrido.** Sustancia séptica. // *Toxina.*

versión. Forma de escribir que tiene cada persona. La mayoría de las personas escribe de izquierda a derecha y rarísimas de derecha a izquierda. Cuando se escribe de izquierda a derecha se llama *versión dextrógira*, mientras que la escritura de derecha a izquierda se denomina *versión siniestro.*

verticilo. Conjunto de ramos, hojas o flores situados alrededor de un punto del tallo.

-**con núcleos independientes.** El dactilograma sinuoso o con doble gasa tiene en el extremo del núcleo ascendente un delta efectivo y el núcleo descendente otro dudoso. Se debe realizar un estudio minucioso del último, al observar que las limitantes basilar y marginal forman un ángulo, y posee por lo menos una cresta aislada del núcleo, pero de convexidad definida frente a la abertura del ángulo. Se le clasifica como verticilo.

-**dactiloscópico.** Dactilograma formado por dos deltas, uno a la izquierda y el otro a la derecha, cuyas crestas adquieren la forma de espirales a derecha e izquierda, círculos concéntricos, óvalos, y sinuosidades.

-**normal.** Cresta papilar que forma un círculo completo, pero éste no contribuye a la formación de deltas.

-**ovoidal.** Se presenta en forma de óvalo, cuyo núcleo puede ser simple o intervenido por uno o varios trozos de crestas papilares en el interior del núcleo. Para que éste se considere verticilo ovoidal, se requiere que su núcleo se halle constituido por una cresta que tenga forma de huevo, pero que dicho núcleo no contribuya a la configuración de deltas.

-sinuoso. Contiene en su presentación un doble núcleo, el cual puede estar formado por una prolongación, a la izquierda o a la derecha del verticilo. Para considerarlo verticilo, el núcleo debe estar configurado con sinuosidades definidas, simples o compuestas, pero sin intervenir en la formación de deltas.

veteado. Estría atrófica.

víctima. Sujeto que recibe los efectos externos de una acción u omisión dolosa o culposa, que le causan un daño a su integridad física, a su vida o a su propiedad.

Vinokurova, signo de. Véase SIGNOS.

violación. Del latín *violatio, -onis*. Coito contra la voluntad de la mujer, valiéndose de la violencia, o con una menor de 12 años, aunque ofrezca su consentimiento.

viricidio. Muerte del marido realizada por la esposa o concubina.

virtualidad de los bucles. Existencia aparente y no real de formas de rizos o de canutos en las letras.

virus. Del latín *virus*. Cualquiera de los agentes infecciosos más pequeños de las formas corrientes de bacterias, algunas apenas visibles y otras invisibles con el microscopio ordinario, que pasan a través de los filtros, de un tamaño entre 0.2 y 0.01 μm.

-informático. Instrucción o conjunto de instrucciones parasitarias introducidas en un programa de computadora, y que puede borrar la información que contiene éste.

víscera. Del latín *viscera*, de *viscus, eris*. Órgano contenido en una cavidad esplácnica, especialmente en la cavidad abdominal.

-torácica. Órgano contenido en el tórax.

vómito. Del latín *vomitus*. Expulsión violenta, por la boca, de materias contenidas en el estómago. // Materia vomitada.

-acetonémico. Vómito periódico que ocurre en el niño afectado por acetonemia.

-bilioso. Vómito de bilis o de materias teñidas de bilis.

-cerebral. Vómito fácil, casi sin náuseas, que se observa frecuentemente en las afecciones intracraneales.

-cíclico o periódico. Vómito que ocurre a intervalos más o menos regulares.

-de sangre. Hematemesis.

-electivo. Expulsión de alimentos determinados que ocurre en el histerismo.

-estercoráceo o fecaloide. Vómito de materia fecal observada en la obstrucción intestinal, apendicitis, peritonitis, etcétera.

-**hiperácido.** Gastroxinsis.

-**incoercible.** Vómito rebelde a todas las medicaciones, que a veces ocurre en el embarazo.

-**marino.** Mareo.

-**negro.** Fiebre amarilla.

-**pernicioso.** Vómito incoercible del embarazo.

-**porráceo.** Vómito oscuro de pronóstico grave.

-**seco.** Náusea con esfuerzo de vómito, pero sin expulsión de materias.

voyeurismo. Obtención de placer sexual mediante la observación de los órganos sexuales o del coito de otros. En ocasiones se llega al orgasmo espontáneamente y, en otras, con la masturbación.

vulva. Del latín *vulva*. Parte exterior de los genitales femeninos. Hendidura longitudinal formada por los labios mayores, en la que se abre la vagina.

-**clausa o *connivens*.** Vulva cerrada, por ser los labios mayores gruesos y aproximados.

-**del cerebro.** Pequeño orificio en el tercer ventrículo del cerebro debajo de la comisura anterior y del pilar anterior del trígono.

-**hians.** Vulva abierta, en la que los labios mayores son flácidos y están apartados.

Walker, prueba de. Véase Pruebas.

Winslow, signo de. Véase Signos.

Wishnewski, úlceras de. Véase Úlceras.

Wuchereria. Género de filiarias. *W. bancrofti* es el agente causal de la elefancia, y en forma de larva, *Microfilaria bancrofti*, es trasmitida al hombre por los mosquitos del género *Culex*.

xantina. Materia colorante amarilla que se encuentra en la orina o en algunas plantas.

xantoma. Tumor benigno, cutáneo o subcutáneo de color amarillo y compuesto principalmente de colesterol.

xantosis. Coloración amarilla en la piel.

xenobiótico. Aquella sustancia que ingresa en el organismo procedente del exterior.

xenofobia. Del griego *xenos*, extranjero, y *phobos*, miedo, terror. Odio, repugnancia u hostilidad hacia lo extranjero, lo que puede dar origen a graves alteraciones en la convivencia de los pueblos. El nacionalismo exacerbado fomenta esta clase de sentimiento.

xerodermia. Endurecimiento de la piel.

xifodídimo. Del griego *xiphos*, espada y *didymos*, mellizo. Monstruo fetal doble unido por la parte anterior del tórax. // También se le denomina xifópago.

yacer. Del latín *jacere*. Estar tendido y sin vida, debido a un accidente, suicidio o homicidio. // En algunas partes, trato carnal.

yacija. Hombre vagabundo de malas mañas.

yerro. Delito o falta cometido, por ignorancia o malicia, en contra de las reglas divinas o humanas. Equivocación por descuido o inadvertencia, aunque su conducta se repute culpable.

yerto. Fenómeno producido por el invierno en mendigos o vagabundos. // Persona muerta por frío. // Cuando desaparece el último vestigio de calor corporal y demás factores vitales, permite al médico forense determinar, en ciertos casos, lo reciente de una muerte o el haber transcurrido algunas horas.

yofobia. Del griego *iós*, veneno, y *phobos*, temor. Temor morboso a los venenos.

yogar. Tener acceso al contacto carnal.

yugo. Ley o dominio superior sobre una persona o un grupo de personas, que las obliga a obedecer. En la antigua Roma se utilizaba como especie de horca.

yuguero. Ladrón que opera por medio de ganzúas.

yugular. Del latín *iugularis*, de *iugulum*, garganta, cuello. Relativo o perteneciente al cuello.

zacapela. Riña o contienda acompañada de ruido y bulla.

zaino. Del árabe *hain*, traidor. Traidor, falso, poco seguro en el trato, el que da indicios falsos.

zamarro. Sujeto astuto, pillo o bribón.

zascandil. Individuo despreciable, el cual se dedica a engañar a los demás. // *Estafador*.

Ziemke, signo de. Véase Signos.

Zitkov, signo de. Véase Signos.

zoofilia. Del griego *zoo*, animal, y *philía*, amistad, amor. Obtención del placer sexual acariciando y manoseando animales. En mujeres se ha conocido de casos de coito vulvar con perros.

zoofobia. Del griego *zoo*, animal, y *phobos*, temor. Temor morboso a los animales.

zoopsia. Alucinación ocasionada por sustancias, como el alcohol o drogas, en las que se ven animales.

zoosis. Estado morboso debido a un agente animal.

zootoxina. Toxina o veneno de origen animal, como la ponzoña de las serpientes o el suero de anguila.

zootrofotoxismo. De *zoo*, del griego *trophé*, nutrición, y de toxismo. Intoxicación por los alimentos de origen animal.

Bibliografía

Baeza y Aceves, Leopoldo, *Endocrinología y criminalidad*, Porrúa, 2a. ed., México, 1965.
Bonnet, *Medicina legal*, dos tomos, 2a. ed., López Libreros Editores, Buenos Aires, Argentina, 1980.
Boyadjieff Norliyan, Jennya, *Análisis grafopsicológico de la personalidad*, INACIPE, México, 1985.
Casewit, Curtis W., *Grafología práctica*, Martínez Roca, España, 1983.
Castillo, José R. del, *Práctica de enjuiciamiento criminal*, Porrúa, México, 1916.
Ceccaldi, Pierre/Fernand, *La criminalistique*, Oikos-Tau, S. A., Edit. Barcelona, España, 1971.
Correa Ramírez, Alberto Isaac, *Estomatología forense*, Trillas, México, 1990.
Dávalos Hurtado, Eusebio, *Temas de antropología física*, Instituto Nacional de Antropología e Historia, México, 1965.
Department of Justice, DEA, *Drogas de las que se abusa*, EUA, 1991.
Díaz de León, Marco Antonio, *Tratado sobre las pruebas penales*, Porrúa, México, 1988.
FBI, *Handbook Forensic Sciences*, EUA, 1978.
Fernández Pérez, Ramón, *Elementos básicos de medicina forense*, Méndez Editores, 6a. ed., México, 1992.
Flores Cervantes, Cutberto, *Los accidentes de tránsito*, Porrúa, 2a. ed., México, 1990.
Franco de Ambriz, Martha, *Hematología forense*, Porrúa, 2a. ed., México, 1991.
Gaspar, Gaspar, *Nociones de criminalística e investigación criminal*, Universidad, Argentina, 1993.
Gayet, Jean, *Manual de Police Scientifique*, Les Traces, Payot, París, 1961.
Gomes, Helio, *Medicina legal*, Livraria Freita Bastos, 30a. Edicço, Río de Janeiro, Brasil, 1993.
Gresham, G. Austin, *Atlas de medicina forense*, Científico-Médica, México, 1977.

BIBLIOGRAFÍA

Gross de Graz, Hanns, *Manual del juez*, J. R. Garrido y Hnos. Editores, traducido por Máximo de Arredondo, España, 1904.
Horgan, John J., *Investigación penal*, CECSA, México, 1982.
Jiménez Navarro, Raúl, *Materia de toxicología forense*, Porrúa, México, 1980.
Knight, Bernard, *Medicina forense de Simpson*, El Manual Moderno, México, D. F., Santa Fe de Bogotá, traducido por María Concepción Franco Rangel, 1994.
Lefort, Edouard, "Le Type Criminel D' Aprés les Savants et les Artistes", *Documents de Criminologic et de Médice Légale*, Éditeurs A. Storck-G., Masson, Lyon, París, 1860.
Memorial del Primer Congreso Mundial de Medicina Forense, Sociedad Mexicana de Medicina Forense, Criminología y Criminalística, A. C., 1986.
Memorias del Simposium Internacional de Medicina Forense, Sociedad Mexicana de Medicina Forense, Criminología y Criminalística, A. C., México, julio de 1985.
Montiel Sosa, Juventino, *Criminalística*, tomo I, Limusa, 3a. ed., México, 1990.
____, *Criminalísica*, tomo II. Limusa, 2a. ed., México, 1990.
____, *Criminalística*, tomo III, Limusa, México, 1989.
Moreno González, Rafael, *Balística forense*, Porrúa, 6a. ed., México, 1990.
____, *Ensayos médicos forenses y criminalísticos*, Porrúa, 2a. ed., México, 1989.
____, *Manual de introducción a la criminalística*, Porrúa, 6a. ed., México, 1990.
Muñoz Mateos, *Etimologías grecolatinas del español*, Esfinge, México, 1981.
Oliveros Sifontes, Dimas, *Manual de criminalística, preservación y manejo de las evidencias físicas*, Monte Ávila Editores, Caracas, Venezuela, 1973.
Pardiñas, Felipe y Rafael Moreno González, *Metodología de la problemática criminalística*, Talleres Morales Hnos. Impresores, S. A., México, 1976.
Procuraduría General de Justicia del Distrito Federal, *Manual de método y técnicas empleadas en servicios periciales*, México, 1996.
Procuraduría General de Justicia del Distrito Federal, *Sistemas de identificación*, Instituto de Formación Profesional, Serie Criminalística, México, 1986.
Quiroz Quarón, Alfonso, *Medicina forense*, Porrúa, 6a. ed., México, 1990.
Ramírez Covarrubias, Guillermo, *Medicina legal mexicana*, México, 1991.
Ramos Denia, Ángel, *Pequeño tratado de dactiloscopia*, Gernika, México, 1992.
Redsicker, David R., *The Practical Methodology of Forensic Photography*, Elsevier, EUA, 1991.
Reimann, Wolfgang y Otto Prokop, *Vademécum de medicina legal*, Editorial Científico-Técnica, La Habana, Cuba, 1987.
Repetto, Manuel, *Toxicología fundamental*, Científico-Médica, 2a. ed., España, 1988.

Revista *La Pericia*, año I, núms. 3 y 4, México, 1994-1995.
Revista *Sumario del Crimen*, revista semanal, Ediciones Drac, año I, núms. 1-100, Madrid, España, 1991.
Reyes Martínez, Arminda, *Dactiloscopia*, Porrúa, México, 1977.
Rico M. F., Gerardo y Ángela Galán Giral, *Pelos y fibras. Metodología científica*, INACIPE, México, 1987.
Snyder, Lemoyne, *Investigación de homicidios*, Limusa, 7a. ed., México, 1991.
Soderman, Harry, *Investigación criminal moderna*, Limusa, 5a. ed., México, 1975.
Sodi Pallares, Ernesto y Luis F. Sotelo Regil, Limusa, 4a. reimpresión, México, 1989.
Sodi Pallares, Ernesto, Roberto Palacios Bermúdez y Gutierre Tibón, *La criminalística y su importancia en el campo del derecho. Documentoscopia*, La Presa, Colección Selecta, México, 1970.
Solís Quiroga, Héctor, *Sociología criminal*, Porrúa, 3a. ed., México, 1992.
Sotelo Regin, Luis F., *La investigación del crimen*, Limusa, 6a. ed., México, 1992.
Stelzer, Ehrenfried, *Criminalística socialista*, Ciencias Sociales, La Habana, Cuba, 1989.
Svensson, Arne, *Techniques of Crime Scene Investigation*, Nueva York, EUA.
Tercer Congreso Nacional de Ciencias Forenses, Sociedad Mexicana de Medicina Forense, Criminología y Criminalística, A. C., México, 1992.
Tochetto, Domingos y João Alberto Neigaerther, *Taurus. Uma Garantia de Seguranca*, Forjas Taurus, 3a. ed., Porto Alegre, Brasil, 1994.
Torres Torija, José, *Medicina legal*, Martínez Oteo, 9a. ed., México, 1980.
Trujillo Arriaga, Salvador, *El estudio científico de la dactiloscopia*, Limusa, 3a. ed., México, 1993.
Vargas Alvarado, Eduardo, *Medicina legal. Compendio de ciencias forenses para médicos y abogados*, Lehmann Editores, 3a. ed., Costa Rica, 1983.
Villavicencio Ayala, Miguel José, *Procedimientos de investigación criminal*, Limusa, 4a. ed., Venezuela-México, 1983.
Von Hentig, Hans, *Problemas de la absolución en el asesinato*, Abeledo-Perrot, Argentina, 1959.
Zoderman, Jon, *Laboratorio de criminalística*, Limusa, México, 1993.